Collection dirigée par Michel DANILO

LE FRANÇAIS DU DROIT

■ J.-L. PENFORNIS

Avant-propos

Le français du droit a été conçu pour vous qui désirez communiquer dans la langue d'expression et de travail des juristes francophones et qui cherchez donc :

- à vous initier au droit français et européen ;
- à vous entraîner à faire face à des situations courantes de la vie juridique ;
- à mieux maîtriser la communication juridique, écrite et orale, à travers des activités qui vous impliquent.

Cet ouvrage vous prépare également à l'examen de français juridique de la Chambre de Commerce et d'Industrie de Paris.

Pour atteindre ces objectifs, *Le français du droit*, qui comprend un livre et une cassette, vous propose six unités thématiques regroupant trois ou quatre sections chacune.

Au total vingt-deux sections portant sur les différentes branches du droit privé et public, français et européen. Dans chaque section, vous trouverez :

- une page présentant les notions essentielles du thème abordé, destinée à vous initier à la matière ;
- la présentation d'une particularité linguistique du langage du droit ;
- des activités et exercices variés, s'appuyant très souvent sur des documents écrits ou sonores.

Une initiation au droit

Le français du droit n'est pas un ouvrage de droit. Toutefois, vous ne pourrez communiquer efficacement dans un contexte juridique sans une certaine connaissance de la matière. Avec l'objectif de permettre une meilleure maîtrise du français juridique, langage de spécialité par excellence, cet ouvrage propose une réelle initiation au droit français et européen.

Le but poursuivi n'est pas d'apporter des informations précises sur tel ou tel régime juridique, mais de découvrir la logique interne du droit français et européen, de comprendre et d'acquérir une culture juridique et une tournure d'esprit.

Une description des particularités linguistiques

Dans tout pays, le langage juridique est un langage particulier de la langue nationale. Un langage de spécialité. Les juristes belges (wallons), québécois ou français parlent français. Il n'existe pas, à proprement parler, de langue du droit. En revanche, il existe un langage du droit, en ce sens que les juristes ont « une façon particulière de s'exprimer » (Dictionnaire *Le Robert*).

Sont décrites dans cet ouvrage les principales marques linguistiques du français juridique. Elles concernent :

- le vocabulaire juridique, car le droit donne un sens particulier aux mots, ce qui constitue d'ailleurs le principal obstacle à la communication juridique ;
- le discours juridique car le droit énonce souvent d'une manière particulière ses propositions (voix passive, indéfinis, expression de l'obligation, etc.).

Une variété de documents

La variété des documents retenus témoigne de la grande diversité du discours juridique. À quoi tient cette diversité ?

Elle tient en premier lieu au grand nombre des émetteurs, de ceux qui emploient le langage du droit : le législateur (dans la loi), le juge (dans sa décision), le témoin (dans sa déclaration), le gouvernement et l'administration (dans les décrets, notes, circulaires), le professeur (dans ses ouvrages, dans son cours), le journaliste (dans ses articles de presse), le simple particulier (dans ses lettres, ses offres, ses promesses), etc.

La diversité du discours juridique tient également à la variété des destinataires de la communication : le locataire (congé donné par le bailleur), le débiteur (mise en demeure par le créancier), une assemblée parlementaire (discours du rapporteur d'un projet), un jury (plaidoirie de l'avocat), etc.

La communication juridique peut ainsi se faire d'initié à initié (plaidoirie devant le juge), d'initié à non initié (conseil de l'avocat à son client), de non initié à non initié (correspondance préalable à un accord), de non initié à initié (réclamation adressée à une administration).

Remarquons enfin que la communication juridique emprunte aussi bien des moyens d'expression écrite que des moyens d'expression orale. C'est pour cette raison que *Le français du droit* vous propose des documents écrits et sonores (livre et cassette). Car si l'écrit est, à l'évidence, d'une grande importance (difficile d'imaginer, en France du moins, de loi non écrite), l'oral tient également une place non négligeable dans la vie juridique : dans la vie législative (débats au parlement, par exemple), dans la vie judiciaire (plaidoiries, conférences, interrogatoires, témoignages, etc.) ou dans la vie des affaires (pourparlers, entretiens, réunions, etc.).
Les paroles préparent souvent l'acte juridique : les débats parlementaires avant l'adoption de la loi, les plaidoiries avant le jugement du tribunal, les pourparlers avant la signature du contrat, etc.

Des activités réalistes et motivantes

La plupart des activités proposées mettent en relation la langue et des savoir faire. Il vous est en effet demandé de comprendre puis d'utiliser des documents en accomplissant des tâches bien précises. Par exemple : résoudre un cas, négocier, consulter, rédiger un contrat, conseiller un client, débattre d'une question juridique, participer à une réunion, prendre des notes, faire un exposé, analyser et apprécier une décision de justice, écrire une lettre, un rapport, un article de presse, etc.

Signalons pour terminer que chacune des six unités se termine par un test de connaissances portant sur des domaines thématiques, lexicaux et grammaticaux, abordés dans l'unité (ou, pour ce qui est du dernier test – jeu de l'oie –, sur des domaines abordés tout au long de l'ouvrage).

Vous trouverez à la fin de l'ouvrage :
- une transcription des documents sonores enregistrés sur la cassette ;
- un corrigé des exercices et activités (mais pas celui des tests de connaissances de fin d'unité) qui vous permettra de travailler seul ;
- un index lexical vous renvoyant à la page ou à la section où le mot est employé.

Bon travail !

L'auteur

Découvrir une section

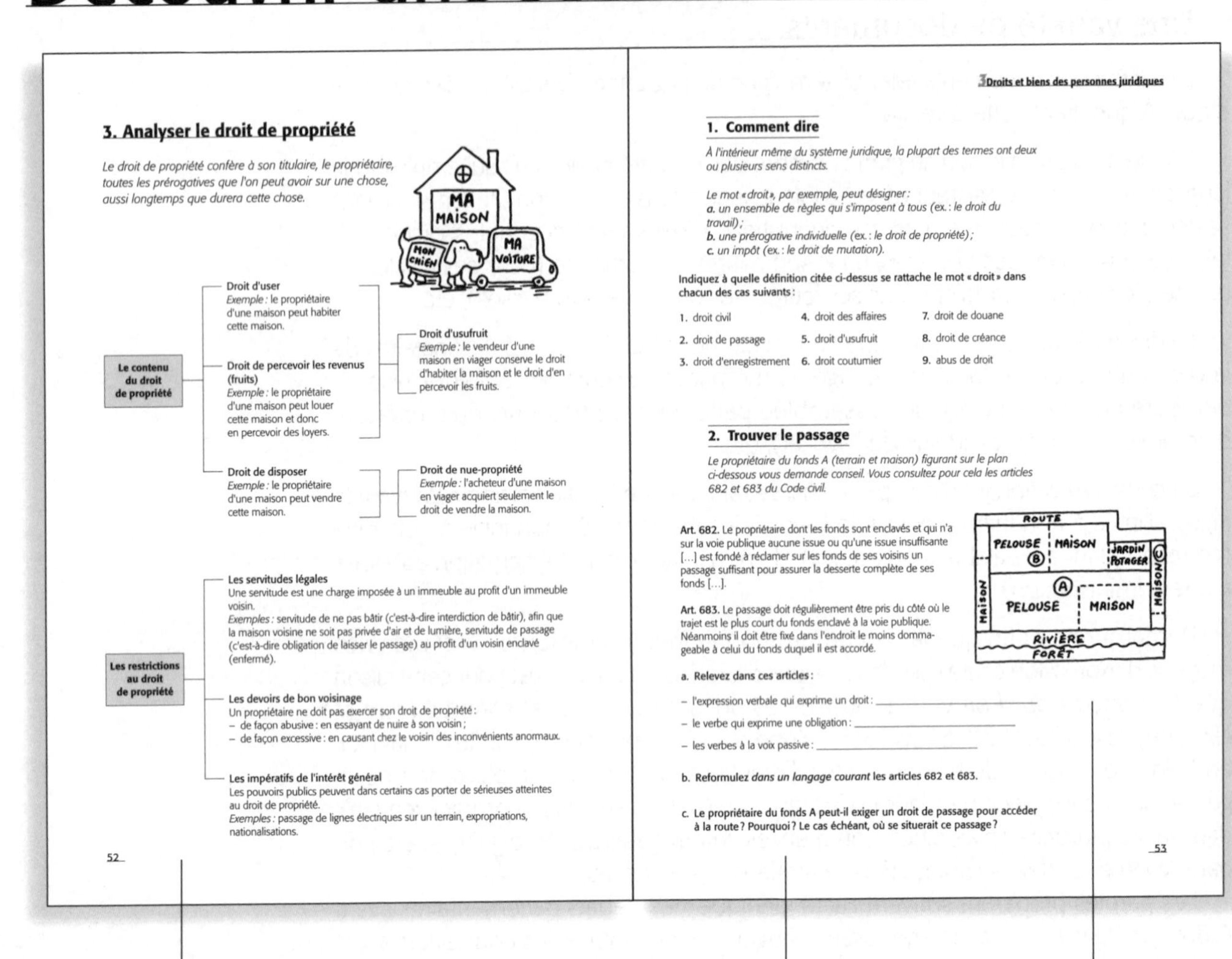

3. Analyser le droit de propriété

Le droit de propriété confère à son titulaire, le propriétaire, toutes les prérogatives que l'on peut avoir sur une chose, aussi longtemps que durera cette chose.

Le contenu du droit de propriété

- **Droit d'user**
  Exemple : le propriétaire d'une maison peut habiter cette maison.
- **Droit de percevoir les revenus (fruits)**
  Exemple : le propriétaire d'une maison peut louer cette maison et donc en percevoir des loyers.
  - **Droit d'usufruit** (droit d'user + droit de percevoir les revenus)
    Exemple : le vendeur d'une maison en viager conserve le droit d'habiter la maison et le droit d'en percevoir les fruits.
- **Droit de disposer**
  Exemple : le propriétaire d'une maison peut vendre cette maison.
  - **Droit de nue-propriété**
    Exemple : l'acheteur d'une maison en viager acquiert seulement le droit de vendre la maison.

Les restrictions au droit de propriété

- **Les servitudes légales**
  Une servitude est une charge imposée à un immeuble au profit d'un immeuble voisin.
  Exemples : servitude de ne pas bâtir (c'est-à-dire interdiction de bâtir), afin que la maison voisine ne soit pas privée d'air et de lumière, servitude de passage (c'est-à-dire obligation de laisser le passage) au profit d'un voisin enclavé (enfermé).
- **Les devoirs de bon voisinage**
  Un propriétaire ne doit pas exercer son droit de propriété :
  – de façon abusive : en essayant de nuire à son voisin ;
  – de façon excessive : en causant chez le voisin des inconvénients anormaux.
- **Les impératifs de l'intérêt général**
  Les pouvoirs publics peuvent dans certains cas porter de sérieuses atteintes au droit de propriété.
  Exemples : passage de lignes électriques sur un terrain, expropriations, nationalisations.

1. Comment dire

À l'intérieur même du système juridique, la plupart des termes ont deux ou plusieurs sens distincts.

Le mot « droit », par exemple, peut désigner :
a. *un ensemble de règles qui s'imposent à tous (ex. : le droit du travail) ;*
b. *une prérogative individuelle (ex. : le droit de propriété) ;*
c. *un impôt (ex. : le droit de mutation).*

Indiquez à quelle définition citée ci-dessus se rattache le mot « droit » dans chacun des cas suivants :

1. droit civil	4. droit des affaires	7. droit de douane
2. droit de passage	5. droit d'usufruit	8. droit de créance
3. droit d'enregistrement	6. droit coutumier	9. abus de droit

2. Trouver le passage

Le propriétaire du fonds A (terrain et maison) figurant sur le plan ci-dessous vous demande conseil. Vous consultez pour cela les articles 682 et 683 du Code civil.

Art. 682. Le propriétaire dont les fonds sont enclavés et qui n'a sur la voie publique aucune issue ou qu'une issue insuffisante […] est fondé à réclamer sur les fonds de ses voisins un passage suffisant pour assurer la desserte complète de ses fonds […].

Art. 683. Le passage doit régulièrement être pris du côté où le trajet est le plus court du fonds enclavé à la voie publique. Néanmoins il doit être fixé dans l'endroit le moins dommageable à celui du fonds duquel il est accordé.

a. Relevez dans ces articles :
– l'expression verbale qui exprime un droit : ____________
– le verbe qui exprime une obligation : ____________
– les verbes à la voix passive : ____________

b. Reformulez *dans un langage courant* les articles 682 et 683.

c. Le propriétaire du fonds A peut-il exiger un droit de passage pour accéder à la route ? Pourquoi ? Le cas échéant, où se situerait ce passage ?

Une première page présente les notions essentielles du thème abordé dans la section et le lexique correspondant. C'est une présentation destinée à vous préparer aux situations de communication proposées par la suite. Cette page vous permettra de mieux cerner le système juridique dans son ensemble en découvrant, à travers le lexique, sa cohérence et sa logique interne.

Dans cette deuxième page, vous trouverez d'abord une brève présentation des formes linguistiques les plus fréquemment employées dans le langage du droit, suivie d'un exercice d'application.

Vous trouverez ensuite une activité vous demandant de répondre à des questions précises ou de résoudre de petits cas. Avant de poursuivre, assurez-vous ainsi que vous avez bien compris les notions essentielles du thème abordé.

3. **Tenir la rubrique juridique**

Vous travaillez comme journaliste pour un journal économique grand public. Votre travail consiste à écrire des articles sur des problèmes juridiques et à répondre au courrier des lecteurs

Vous venez précisément de recevoir les deux lettres suivantes.

René LEBLANC
3 rue de la Gare
72220 CHÂTEAU L'HERMITAGE

Madame, Monsieur,

J'ai demandé à Monsieur Travodur de construire une maison sur le terrain que je venais d'acheter. Au cours des travaux, Monsieur Travodur a découvert, enfoui sous terre, un coffre rempli de pièces d'or. À qui appartient ce trésor? À Monsieur Travodur? Ou à moi-même? [...]

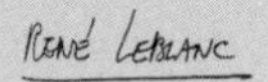

René LEBLANC

Philippe SURCOUF
65 Quai du Port
35110 SAINT-MALO

Madame, Monsieur,

J'étais certain que sous ma maison se cachait un trésor et j'ai demandé à Monsieur Travodur d'effectuer des recherches. J'avais bien raison! Monsieur Travodur a découvert sous ma cave un coffre rempli de pièces d'or. Mais il prétend maintenant que ce coffre lui appartient. Ce trésor n'est-il pas plutôt à moi? [...]

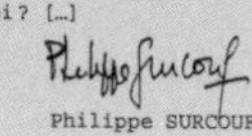

Philippe SURCOUF

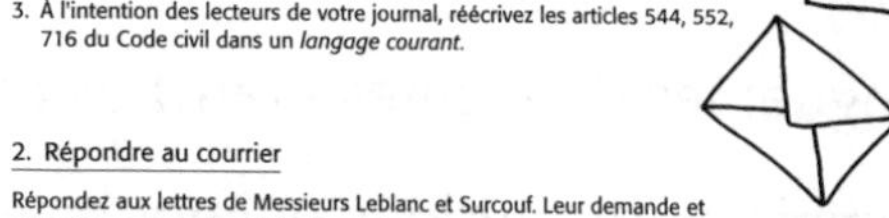

Vous consultez les articles 544, 552 et 716 du Code civil.

Article 544. La propriété est le droit de jouir et disposer des choses de la manière la plus absolue, pourvu qu'on n'en fasse pas un usage prohibé par les lois ou les règlements.

Art. 552. La propriété du sol emporte la propriété du dessus et du dessous.
Le propriétaire peut faire au-dessus toutes les plantations et constructions qu'il juge à propos [...].
Il peut faire au-dessous toutes les constructions et fouilles qu'il jugera à propos, et tirer de ces fouilles tous les produits qu'elles peuvent fournir [...].

Art. 716. La propriété d'un trésor appartient à celui qui le trouve dans son propre fonds: si le trésor est trouvé dans le fonds d'autrui, il appartient pour moitié à celui qui l'a découvert, et pour l'autre moitié au propriétaire du fonds.
Le trésor est toute chose cachée ou enfouie sur laquelle personne ne peut justifier sa propriété, et qui est découverte par le pur effet du hasard.

54

3 Droits et biens des personnes juridiques

1. Consulter la loi

1. **Complétez les phrases ci-dessous à l'aide des numéros ou mots suivants:**
544, 552, 716, alinéa, conséquences, définition, restriction.

a. L'article ______ pose un principe et en tire les ______ dans ses alinéas 1 et 2.

b. L'article ______ pose un principe et apporte une ______ à ce principe.

c. L'article ______, dans son alinéa 1, pose une règle et, dans son ______ 2, donne une ______ .

2. **Retrouvez dans les articles 544, 552 et 716 du Code civil les mots ou expressions qui signifient:**

a. profiter: ______________ f. convenable: ______________
b. totale: ______________ g. procurer: ______________
c. à condition que: ______________ h. un autre: ______________
d. interdit: ______________ i. enterrée: ______________
e. entraîne: ______________ j. prouver: ______________

3. **À l'intention des lecteurs de votre journal, réécrivez les articles 544, 552, 716 du Code civil dans un *langage courant*.**

2. Répondre au courrier

Répondez aux lettres de Messieurs Leblanc et Surcouf. Leur demande et votre réponse seront publiées dans le journal.

3. Écrire un article

La privatisation, qui consiste pour l'État à transférer au privé la propriété de son capital, est un sujet très actuel.

Votre journal a ainsi reçu un important courrier de lecteurs qui s'interrogent sur la privatisation des entreprises publiques. À quoi servent les privatisations? Comment se déroulent-elles? A-t-on intérêt à acheter des actions d'entreprises que l'État privatise? Il vous est demandé d'écrire un article sur ce sujet.

L'un de vos collègues journalistes a interrogé un juriste, spécialisé dans le droit des privatisations. L'interview a été enregistrée.

Écoutez (ou lisez page 111) cette interview et écrivez un article d'environ 350 mots à l'attention de vos lecteurs.

55

Cette page contient un ou plusieurs documents, de différentes natures: textes de lois, décisions de justice, articles et annonces de presse, lettres, contrats, textes de conférence, entretiens, etc. Cette variété de documents écrits, et parfois oraux, permet de témoigner de la grande diversité du discours juridique.

Des activités variées vous permettent d'exploiter le document retenu à la page précédente et, le cas échéant, le document sonore enregistré sur la cassette. Ces activités ont pour but de vous entraîner, de manière méthodique, à la pratique des différentes formes de communication juridique, tout en élargissant vos connaissances linguistiques.

Sommaire

1. Le cadre de la vie juridique

2. Les acteurs de la justice

3. Droits et biens des personnes juridiques

4. Les obligations

5. La vie des affaires

6. Les relations du travail

1 Le cadre de la vie juridique

1. Distinguer les différentes branches du droit

Le droit est un ensemble de règles émises par les autorités publiques. Il est divisé en deux grandes familles : le droit public et le droit privé.
Le droit public règle l'organisation de l'État ainsi que les rapports entre l'État et les particuliers.
Le droit privé règle les rapports entre les particuliers.

Le droit public

- **Le droit constitutionnel**, dont les règles fondamentales sont contenues dans la Constitution, règle l'organisation et l'exercice du pouvoir politique. *Exemples :* mode d'élection du président de la République, rôle du Parlement.
- **Le droit administratif** règle l'organisation et le fonctionnement des administrations publiques ainsi que les rapports entre ces administrations et les administrés.
- **Le droit fiscal** est un ensemble de règles relatives à la fixation et au recouvrement des impôts.
- **Le droit pénal** (droit criminel) détermine les infractions (actes interdits par la loi) et les peines (sanctions) applicables.
- **Le droit international public** régit les rapports entre États.

Le droit privé

- **Le droit civil** est considéré comme le droit commun privé, c'est-à-dire comme un ensemble de règles normalement applicables entre les individus. *Exemples :* droit de la famille, droit de la propriété.
- **Le droit commercial** s'applique aux commerçants (individus ou sociétés commerciales) dans le cadre de leurs activités professionnelles.
- **Le droit du travail** règle les rapports entre les employeurs et les salariés.
- **Le droit international privé** règle les rapports entre particuliers de nationalité différente. Il indique au juge quelle est la loi applicable (nationale ou étrangère). Les juges français doivent parfois appliquer une loi étrangère.

1. Comment dire

*Certains termes ont un ou plusieurs sens spécifiques dans le domaine du droit : ce sont les termes juridiques. Le langage du droit est spécifique : il utilise le **vocabulaire juridique**.*

Voici ci-dessous des articles du Code civil français.
Soulignez les mots ou expressions qui, d'après vous, appartiennent au vocabulaire juridique.
En connaissez-vous le sens juridique ?

1. **Art. 4.** Le juge qui refusera de juger, sous prétexte du silence, de l'obscurité ou de l'insuffisance de la loi, pourra être poursuivi comme coupable de déni de justice.
2. **Art. 1156.** On doit dans les conventions rechercher quelle a été la commune intention des parties contractantes, plutôt que de s'arrêter au sens littéral des termes.
3. **Art. 1158.** Les termes susceptibles de deux sens doivent être pris dans le sens qui convient le plus à la matière du contrat.
4. **Art. 1188.** Le débiteur ne peut plus réclamer le bénéfice du terme lorsqu'il a fait faillite, ou lorsque par son fait il a diminué les sûretés qu'il avait données par le contrat à son créancier.

2. Trouver la bonne branche

Indiquez à quelle branche du droit se rattache chacune des situations ci-dessous.

1. La taxe à la valeur ajoutée (TVA) a encore augmenté. *droit fiscal*
2. La société Dupont n'a toujours pas réglé au Magasin du Parc la facture n° 454. ______
3. Françoise, au volant de sa voiture, a grillé un feu rouge. ______
4. Pierre a voté aux dernières élections présidentielles. ______
5. M. Dupont, de nationalité française, et sa femme, de nationalité allemande, se sont mariés en Italie. Ils vivent maintenant tous les deux aux États-Unis. M. Dupont entame une procédure de divorce. ______
6. Françoise a été licenciée. ______
7. M. Leblanc est mort. Ses héritiers se disputent les biens de sa succession. ______
8. Cinq États ont signé le traité de non-prolifération nucléaire. ______
9. Pierre et Françoise divorcent. ______
10. Un maire interdit une représentation d'un cirque dans sa commune pour des raisons de sécurité. ______
11. Pierre a adhéré au syndicat CGT. ______
12. La société Dupont ne respecte pas le jeu de la concurrence. ______
13. Hier a eu lieu un vol à main armée. ______
14. Le statut des fonctionnaires a été réformé. ______

3. Comparer des situations de communication

Le langage du droit est utilisé dans des situations très diverses, par toutes sortes de personnes, avec des finalités différentes, comme en témoignent les messages suivants, oraux et écrits.

Mes chers compatriotes
Après consultation du Premier ministre, du président du Sénat et du président de l'Assemblée nationale, j'ai décidé de dissoudre l'Assemblée nationale.

1.

La première partie de ce cours portera sur le droit des biens.

2.

Il paraît que la direction va licencier Marc Santerre.

3.

Mon client était à l'étranger au moment du crime.

4.

Voulez-vous prendre pour époux monsieur Jean Bonneau, ici présent ?

5.

Vous êtes prévenu. Si nos revendications ne sont pas acceptées, nous nous mettrons en grève.

6.

7.

Je soussigné, Michel Leduc, reconnais devoir à madame Brigitte Bougon la somme de 4 000 € à titre de...

8.

Objet : Congés payés
Je vous prie de bien vouloir me faire connaître pour le 20 avril au plus tard les vœux du personnel de votre service.

9.

PAR CES MOTIFS : statuant contradictoirement, déboute la société Paco Pavanne de l'intégralité de ses demandes ; déboute la société IBS de sa demande reconventionnelle.

10.

Messieurs,
Veuillez trouver ci-joint, en retour, la déclaration de la taxe à la valeur ajoutée dûment remplie.

11.

PHILIPPE DELAMARRE a été condamné à un an de prison avec sursis pour prise illégale d'intérêts. L'ex-député du Var doit en outre payer une amende de 15 000 € et ne peut plus exercer de fonction publique.

12.

Code civil, art. 6 : On ne peut déroger, par des conventions particulières, aux lois qui intéressent l'ordre public et les bonnes mœurs.

13.

Article 3 – Les commandes ne sont définitives que lorsqu'elles ont été confirmées par écrit.

1. Messages oraux

Pour chacun des messages oraux ci-contre, indiquez :

a. **par qui il est émis :** syndicaliste, employé(e) de bureau, professeur de droit, avocat, président de la République, maire ;

b. **à qui il est destiné :** étudiants, employeur, collègue de travail, épouse, citoyens (télespectateurs), jurés d'assises ;

c. **quelle est la branche du droit concernée :** civil, pénal, etc.

Doc.	Document	Destinataire(s)	Branche du droit
1.	______	______	______
2.	______	______	______
3.	______	______	______
4.	______	______	______
5.	______	______	______
6.	______	______	______

2. Messages écrits

Pour chacun des messages écrits ci-contre, indiquez :

a. **de quel document il est extrait :** lettre, article de presse, reconnaissance de dettes, texte de loi, décision de justice, conditions générales de vente, note de service ;

b. **à qui il est destiné :** parties au procès, créancier, clients, cocontractants, lecteurs du journal, chefs de service, administration des impôts ;

c. **quelle est la branche du droit concernée.**

Doc.	Émetteur	Destinataire(s)	Branche du droit
7.	______	______	______
8.	______	______	______
9.	______	______	______
10.	______	______	______
11.	______	______	______
12.	______	______	______

3. Messages juridiques

a. **Soulignez, dans chacun des messages ci-contre, les mots ou expressions du vocabulaire juridique.**

b. **Certains de ces messages ne contiennent aucun terme juridique. Lesquels ? Diriez-vous cependant que ce sont des messages juridiques ? Pourquoi ?**

2. Découvrir les institutions politiques nationales

La Constitution française, votée en 1958, décrit l'organisation de l'État et définit les règles du jeu entre ses diverses institutions.

Le Conseil constitutionnel

Composé de neuf membres, nommés pour 9 ans, il veille au respect de la Constitution.

Le président de la République

Il est élu au suffrage universel direct (directement par les citoyens électeurs) pour 5 ans (quinquennat). Il nomme le Premier ministre et, sur proposition de celui-ci, les ministres.

nomme

Le gouvernement

Il est composé du Premier ministre et des ministres. Le président de la République préside le Conseil des ministres, qui se réunit une fois par semaine.

Le Parlement

Il est composé de l'**Assemblée nationale** et du **Sénat**.

L'Assemblée nationale
(577 députés)

Les députés sont élus au suffrage universel direct pour 5 ans (élections législatives).

Le Sénat
(331 sénateurs)

Les sénateurs sont élus au suffrage universel indirect pour 6 ans (élections sénatoriales).

élisent

Les conseillers régionaux (élus des régions),
Les conseillers généraux (départements),
Les conseillers municipaux (communes)

élisent

élisent

élisent

Les citoyens

1. Comment dire

*Employé dans la loi, le **présent de l'indicatif** exprime souvent une **obligation**.*
*Par exemple, quand l'article 21 de la Constitution édicte que « le Premier ministre **assure** l'exécution des lois », on comprend que « le Premier ministre **doit assurer** l'exécution des lois ».*

Complétez chacun des articles de la Constitution française ci-dessous à l'aide des verbes suivants, en utilisant le présent de l'indicatif : *durer, comprendre, veiller à, s'ouvrir, proclamer, examiner, être, se réunir, se renouveler.*

Art. 28. Le Parlement **(1)** ________ de plein droit en deux sessions ordinaires par an. La première session **(2)** _______ le 2 octobre.

Art. 33. Les séances des deux assemblées **(3)** _______ publiques.

Art. 56. Le Conseil constitutionnel **(4)** _______ neuf membres, dont le mandat **(5)** _______ neuf ans. Le Conseil **(6)** _______ par tiers tous les trois ans.

Art. 58. Le Conseil constitutionnel **(7)** _______ la régularité de l'élection du président de la République. Il **(8)** _______ les réclamations et **(9)** _______ les résultats.

2. Examiner les pouvoirs du président

Indiquez si les affirmations suivantes sont vraies ou fausses.

Le président de la République française... :

	Vrai	Faux
1. ... tient ses pouvoirs de la Constitution.	☐	☐
2. ... est élu directement par le peuple.	☐	☐
3. ... est à la tête de l'État pour 7 ans.	☐	☐
4. ... nomme le Premier ministre.	☐	☐
5. ... nomme les conseillers régionaux.	☐	☐
6. ... propose au Premier ministre les ministres du gouvernement.	☐	☐
7. ... fait partie du collège qui élit les sénateurs.	☐	☐
8. ... assiste au Conseil des ministres.	☐	☐
9. ... est membre du gouvernement.	☐	☐

3. Analyser la Constitution

En France, la Constitution est un texte écrit qui rassemble les règles organisant le pouvoir politique.
Voici quelques extraits de ce texte.

Constitution du 4 octobre 1958

Titre II – Le président de la République

Article 6 – Le président de la République est élu au suffrage universel direct.

Article 8 – Le président de la République nomme le Premier ministre.
Sur la proposition du Premier ministre, il nomme les autres membres du gouvernement et met fin à leurs fonctions.

Article 12 – Le président de la République peut, après consultation du Premier ministre et des présidents des assemblées, prononcer la dissolution de l'Assemblée nationale.

Titre III – Le gouvernement

Article 20 – Le gouvernement détermine et conduit la politique de la nation.

Article 21 – Le Premier ministre dirige l'action du gouvernement (...). Il assure l'exécution des lois (...). Il exerce le pouvoir réglementaire (...).

Titre IV – Le Parlement

Article 24 – Le Parlement comprend l'Assemblée nationale et le Sénat.
Les députés à l'Assemblée nationale sont élus au suffrage direct.
Le Sénat est élu au suffrage indirect. Il assure la représentation des collectivités territoriales de la République.

Article 25 – Une loi organique fixe la durée des pouvoirs de chaque assemblée, le nombre de ses membres, leur indemnité, les conditions d'éligibilité, le régime des inéligibilités et des incompatibilités.

Titre V – Des rapports entre le Parlement et le gouvernement

Article 34 – La loi est votée par le Parlement.
La loi fixe les règles concernant: (...)

Article 37 – Les matières autres que celles qui sont du domaine de la loi ont un caractère réglementaire.

Article 39 – L'initiative des lois appartient concurremment au Premier ministre et aux membres du Parlement.

Article 49 – Le Premier ministre, après délibération du Conseil des ministres, engage devant l'Assemblée nationale la responsabilité du gouvernement sur son programme (...).
L'Assemblée nationale met en cause la responsabilité du gouvernement par le vote d'une motion de censure. Une telle motion n'est recevable que si elle est signée par un dixième au moins des membres de l'Assemblée nationale.
Le Premier ministre peut, après délibération du Conseil des ministres, engager la responsabilité du gouvernement devant l'Assemblée nationale sur le vote d'un texte. Dans ce cas, ce texte est considéré comme adopté, sauf si une motion de censure (...) est votée (...).

Article 50 – Lorsque l'Assemblée nationale adopte une motion de censure ou lorsqu'elle désapprouve le programme ou une déclaration de politique générale du gouvernement, le Premier ministre doit remettre au président de la République la démission du gouvernement.

Procurez-vous le texte de la Constitution en vigueur dans votre pays et, à l'aide des articles de la Constitution française reproduits ci-contre, comparez les institutions politiques des deux pays en complétant les tableaux suivants.

1. Le gouvernement

	En France	Dans votre pays
a. Comment s'appelle le chef du gouvernement?	______	______
b. Qui nomme les ministres?	______	______
c. Le Parlement doit-il approuver explicitement cette nomination par un vote d'investiture?	______	______

2. Le Parlement

	En France		Dans votre pays
	Assemblée Nationale	Sénat	
a. Quel est le mode d'élection?	______	______	______
b. Quelle est la durée du mandat?	______	______	______
c. Peut-il être dissous? Par qui?	______	______	______

3. L'élaboration des lois

	En France	Dans votre pays
a. Qui a l'initiative des lois?	______	______
b. Le Parlement peut-il légiférer dans tous les domaines?	______	______

4. Les rapports Parlement/gouvernement

	En France	Dans votre pays
a. Sur quoi le gouvernement peut-il engager sa responsabilité?	______	______
b. Qui peut voter la motion de censure? Dans quel cas?	______	______
c. Quelles sont les conséquences de la motion de censure?		
– si elle est adoptée	______	______
– si elle est rejetée	______	______

3. Découvrir les institutions de l'Union européenne

Les vingt-cinq pays membres de l'Union ont conclu les principaux traités suivants :
– le traité de Rome *(1957) met en place la libre circulation des marchandises (union douanière) ;*
– l'Acte unique *(1986) prévoit que les hommes, les biens et les capitaux peuvent circuler librement ;*
– les traités de Maastricht *(1992) prévoient de créer une monnaie unique, une citoyenneté européenne, ainsi qu'une politique étrangère et de sécurité commune ;*
– la Constitution européenne, élaborée en 2003, rassemble les traités existants en un seul texte.

Ces traités ont mis en place les institutions suivantes :

Le Conseil européen

– Il réunit les chefs d'État ou de gouvernement de chaque État membre.
– Il définit les orientations politiques générales.

La Commission

– Elle est composée de commissaires nommés pour 5 ans par les gouvernements des États membres.
La Commisssion s'appuie sur une administration de fonctionnaires (les eurocrates), installée principalement à Bruxelles.
– Elle élabore des lois européennes et les propose aux organes législatifs (Conseil des ministres et Parlement). Elle applique les politiques communautaires. Elle est responsable devant le Parlement.

Le Conseil des ministres

– Il réunit les ministres de chaque État membre qui ont les mêmes attributions (*exemple :* le Conseil des ministres de l'Agriculture).
– Avec le Parlement, il adopte les lois européennes qui sont élaborées et qui lui sont proposées par la Commission.

Le Parlement européen

– Installé à Strasbourg, il est composé de députés européens, élus pour 5 ans par les citoyens de chaque État membre au suffrage universel direct.
– Il participe au pouvoir législatif avec le Conseil des ministres. Il a un pouvoir de contrôle sur la Commission.

La Cour de justice de l'Union européenne (CJUE)

Siégeant à Luxembourg, elle contrôle le respect du droit communautaire. Elle peut être saisie par la Commission, par les États membres et, dans certains cas, par le Parlement européen et par les particuliers.

1. Comment dire

Dans la règle légale, la ***voix passive*** *est préférée à la voix active si l'objet est plus important que le sujet (naturel).*
Exemple : la Cour de justice ***est saisie*** *par la Commission.*

Complétez chacun des articles du *Traité de Rome* ci-dessous à l'aide des verbes suivants, à employer ici à la voix passive : *modifier, signer, former, acquérir, fixer, saisir, déclarer, exercer, publier, nommer, assister*.

Art. 146. Le Conseil **(1)** _______ par un représentant de chaque État membre. La présidence **(2)** _______ à tour de rôle par chaque État membre.

Art. 148. Les délibérations du Conseil **(3)** _______ à la majorité des membres qui le composent.

Art. 151. Le Conseil **(4)** _______ d'un secrétariat général, placé sous la direction d'un secrétaire général. Le secrétaire général **(5)** _______ par le Conseil statuant à l'unanimité.

Art. 157. Le nombre des membres de la Commission peut **(6)** _______ par le Conseil statuant à l'unanimité.

Art. 160. Tout membre de la Commission, s'il a commis une faute grave, peut **(7)** _______ démissionnaire par la Cour de justice.

Art. 186. Dans les affaires dont elle **(8)** _______, la Cour de justice peut prescrire les mesures provisoires nécessaires.

Art. 188. Le statut de la Cour de justice **(9)** _______ par un protocole séparé.

Art. 191. Le règlement, les directives et les décisions **(10)** _______ par le président du Parlement européen et **(11)** _______ dans le *Journal officiel* de la Communauté.

2. Séparer les pouvoirs

Indiquez d'une croix l'institution de l'Union européenne qui dispose des pouvoirs suivants.

	Conseil des ministres	Commission	Parlement	Cour de justice
1. Les projets de lois européennes sont élaborés par …	☐	☐	☐	☐
2. … puis ils sont soumis au …	☐	☐	☐	☐
3. Les lois européennes sont adoptées par …	☐	☐	☐	☐
4. … en collaboration avec …	☐	☐	☐	☐
5. Le respect du droit communautaire est contrôlé par …	☐	☐	☐	☐
6. La Cour de justice peut être saisie par …	☐	☐	☐	☐
7. La Commission est contrôlée par …	☐	☐	☐	☐
8. Les intérêts de chaque État membre sont représentés par …	☐	☐	☐	☐

3. Débattre autour des institutions européennes

La presse rend régulièrement compte des avancées et des difficultés de la construction de l'Union européenne. Tel est le cas de l'article suivant.

Un jugement relance le débat sur la transparence des négociations européennes

Paris fait valoir qu'une trop grande ouverture nuirait à l'efficacité des réunions

Le tribunal de première instance de l'Union européenne a donné raison au quotidien britannique *The Guardian* qui avait porté plainte contre le refus du Conseil des ministres des Quinze de lui communiquer les minutes de ses délibérations. Désormais, le Conseil devra motiver, au cas par cas, sa volonté de ne pas rendre publics certains dossiers. Ce jugement a relancé le débat sur la transparence des négociations européennes.

BRUXELLES
(Union européenne)
de notre correspondant

Les citoyens de l'Union européenne (UE), les journalistes qui les informent, lesquels sont plus d'un millier accrédités à Bruxelles, peuvent-ils avoir accès, au nom de la transparence, aux documents confidentiels de la Communauté et, en particulier, aux procès-verbaux des délibérations ministérielles ? Le tribunal de première instance (TPI) de l'Union vient de prendre une décision en ce sens. Il a donné raison au quotidien britannique *The Guardian*, qui avait porté plainte contre le Conseil des ministres des Quinze, après que celui-ci, en invoquant la confidentialité des débats, eut refusé de lui communiquer les minutes de plusieurs réunions ministérielles récentes.

Le groupe socialiste du Parlement européen s'est immédiatement félicité de cette « victoire », remportée par *The Guardian*. *« Les socialistes européens ont toujours réclamé plus de transparence pour qu'un véritable dialogue s'instaure entre les institutions et les citoyens »*, a ainsi déclaré Pauline Green, sa présidente britannique.

Le groupe des pays nordiques, sérieusement renforcé depuis le dernier élargissement, le 1er janvier 1995, par l'adhésion de la Suède et de la Finlande, plaide pour qu'un supplément de publicité soit donné aux travaux du Conseil, législateur de l'Union au même titre que le Parlement de Strasbourg.

Trouver un juste équilibre

Cette volonté va à l'encontre de la tradition des pays fondateurs, dont la France, lesquels, sans oublier l'action législative du Conseil, font valoir que celui-ci est aussi une instance de négociations où des progrès ne peuvent être accomplis, des compromis atteints, qu'à l'abri de la surveillance du public.

Le règlement intérieur du Conseil a déjà été modifié à plusieurs reprises pour tenir compte de cette préoccupation des pays du Nord, appuyés par les Pays-Bas et, jusqu'à un certain point, par le Royaume-Uni. C'est ainsi que les réunions du Conseil débutent désormais par un débat ouvert, que les télévisions peuvent retransmettre. Les ministres tiennent alors les propos les plus convenus, destinés à leur auditoire national. En fait, ce supposé supplément de démocratie aboutit souvent à une perte de temps, c'est-à-dire à encore davantage paralyser un Conseil déjà bien incapable de vraiment négocier à quinze.

Certains font valoir, dans les milieux communautaires, qu'un large accès aux documents confidentiels ne serait pas sans danger. Contraindre le Conseil des ministres ou la Commission à transmettre, à qui le demande, les comptes rendus des négociations les plus discrètes, risquerait ainsi d'inciter les protagonistes à aller débattre ailleurs. *« Il ne se passe déjà plus grand-chose dans les sessions formelles du Conseil ; il ne s'y passerait plus rien »*, ironise un diplomate bruxellois.

L'ouverture qu'impose maintenant le tribunal de première instance de l'Union demeure d'ailleurs prudente. Les magistrats européens ne font pas grief au Conseil de ne pas avoir fourni les documents réclamés par le journaliste du *Guardian*, mais, seulement, de ne pas avoir motivé son refus. Désormais, le Conseil, lorsqu'il voudra garder des informations confidentielles, devra, au cas par cas, justifier sa décision. Il lui faudra donc trouver un juste équilibre entre la pression exercée pour davantage de transparence et l'exigence de discrétion sans laquelle il n'y a pas de négociation.

Philippe Lemaitre
Le Monde, 22/23 octobre 1995

1. Êtes-vous pour ou contre la confidentialité ?

a. Les délibérations des Conseils des ministres européens doivent-elles rester confidentielles ? Découvrez dans le texte ci-contre les pays qui sont en faveur de la confidentialité et ceux qui sont contre. Quels sont les arguments des uns et des autres ?

b. La décision des juges européens peut être analysée de différents points de vue : par certains côtés, leur décision s'oppose à la confidentialité et, par d'autres côtés, elle y est favorable. Trouvez des arguments à l'appui de ces deux points de vue.

2. Les institutions européennes sont-elles démocratiques ?

a. Voici ci-dessous les réponses données par Mme Le Baill, chargée de mission à la Commission européenne, à cinq questions posées par un journaliste. Quelles étaient ces cinq questions ?

Question : (1) ____________________

Que les ministres ne soient pas des élus n'empêche nullement le Conseil d'être une institution démocratique parce que ces ministres ont tous été investis par la confiance de leurs parlements nationaux et représentent donc la majorité de leurs députés ou de leurs électeurs.

Question : (2) ____________________

C'est un reproche injuste. Les Conseils donnent une publicité systématique aux résultats de leurs votes. En outre, le public a libre accès aux documents des institutions européennes.

Question : (3) ____________________

Je crois que, dans tous les pays membres, chacun, chaque citoyen, se sent de plus en plus concerné par la construction de l'Union européenne. La ratification du traité de Maastricht, qui a permis d'ouvrir partout un grand débat, en est la meilleure preuve. En France, par exemple, où le traité a été ratifié par référendum, c'est tout un peuple qui a participé à ce débat.

Question : (4) ____________________

S'il est vrai que les traités ne sont pas d'une lecture facile pour tout le monde, ce n'est pas le cas de la Constitution. Contrairement à un traité, une constitution doit pouvoir être lue par le grand public.

Question : (5) ____________________

Avec le Conseil, la Commission, le Parlement, la Cour de justice, il y a une véritable séparation des pouvoirs, ce qui est un signe évident de démocratie.

b. Tout le monde n'est pas du même avis que Mme Le Baill. Écoutez (ou lisez page 108) une interview de monsieur Olivier Janin, professeur de droit communautaire à la Sorbonne, puis opposez un argument à chacune des cinq réponses ci-dessus.

c. Si vous êtes en groupe, organisez, sous forme de jeu de rôles, une table ronde autour de laquelle débattent partisans et adversaires des institutions européennes.

4. Dégager les sources du droit

Le droit est un ensemble de règles. Mais d'où proviennent ces règles ? Où les trouve-t-on ?

Les sources internationales

Les traités internationaux. Ce sont des accords conclus entre États. Pour entrer en vigueur en France, ces traités doivent être ratifiés et publiés au *Journal officiel*. C'est le président de la République qui négocie, mais aussi ratifie les traités, c'est-à-dire confirme les engagements internationaux pris par l'État français. Cependant, d'après la Constitution, certains traités ne peuvent être ratifiés qu'après l'accord du Parlement.

Les textes communautaires européens. Le traité de Rome du 25 mars 1957 instituant la Communauté européenne autorise le Conseil et la Commission à formuler des *recommandations* et des *avis* et à prendre des *règlements* et des *directives*. Recommandations et avis ne sont obligatoires ni pour les États ni pour les individus. En revanche, le règlement s'applique directement à tous les citoyens de la Communauté et il est même supérieur à la loi nationale. La directive oblige les États membres à atteindre un certain résultat et doit être transposée dans un certain délai dans le droit national. Elle peut être directement applicable si elle est suffisamment précise.

Les sources nationales

La Constitution. Elle occupe la première place dans la hiérarchie des règles de droit. Ont valeur constitutionnelle les textes de la Constitution de 1958 et son préambule, la Déclaration des droits de l'homme et du citoyen de 1789 et le préambule de la Constitution de 1946.

La loi. C'est la règle de droit votée par le Parlement (Assemblée nationale et Sénat). Elle doit respecter la Constitution et les traités ratifiés.

Le règlement. C'est la règle de droit élaborée par le pouvoir exécutif : les *décrets* sont pris par le président de la République ou par le Premier ministre, les *arrêtés* émanent soit d'un ministre (arrêté ministériel), soit d'un préfet (arrêté préfectoral), soit d'un maire (arrêté municipal).

La jurisprudence. C'est la solution apportée par un ensemble de décisions rendues par les cours et tribunaux sur une question de droit. C'est la manière dont les juges ont appliqué et interprété la règle légale.

La coutume et la doctrine sont des sources de droit secondaires. La coutume est une habitude prise depuis longtemps par un grand nombre de personnes. Elle peut parfois s'appliquer s'il n'y a pas de règle de droit écrit. La doctrine est constituée des écrits des juristes, principalement des professeurs de droit. Elle peut parfois influencer le législateur dans l'élaboration d'une loi ou le juge dans sa décision.

1. Comment dire

*La **voix impersonnelle** est fréquente dans le langage du droit.*
Le pronom « il », sujet (il faut, il y a, il peut, il appartient à, il incombe à, il résulte de, etc.), permet de ne désigner personne et de viser tout le monde.
*La **transformation impersonnelle**, qui consiste à commencer la phrase par le sujet « il » suivi du verbe au passif, est particulièrement utilisée (il est permis, il est délivré, etc.).*

Complétez les textes ci-dessous à l'aide des verbes ou expressions verbales suivants, en utilisant la transformation impersonnelle : *adjoindre, instituer, statuer, faire référence, allouer, déroger, établir*.

Il **(1)** _______ sur les deux demandes par un seul et même jugement (...) (C. civ., art. 318-2).
Il **(2)** _______ un procès-verbal des délibérations de chaque assemblée (art. 17, décret n° 67-223 du 17 mars 1967).
Lorsque, dans le présent traité, il **(3)** _______ au présent article pour l'adoption d'un acte, la procédure suivante est applicable : (...) (traité CE, art. 189 C).
Il **(4)** _______ aux conseillers prud'homaux salariés des vacations dont le taux horaire est fixé à 7 € (C. trav., art. D. 51-10-1).
Il **(5)** _______ à la Cour de justice un tribunal chargé de connaître en première instance de certaines catégories de recours, etc. (traité CE, art. 168 A).
Il **(6)** _______ un Comité économique et social, à caractère consultatif (traité CE, art. 193).
Il **(7)** _______ à la condition d'ancienneté, par décision du préfet, au profit des titulaires d'un diplôme de l'enseignement supérieur, etc. (C. trav., art. D. 811-24).

2. Relier la règle à son auteur

a. Reliez, dans le tableau ci-dessous, chaque mot de la colonne A à un mot de la colonne B.

b. Puis, en reliant certains de ces mots, faites des phrases avec les verbes suivants : *voter, rendre, négocier, ratifier, écrire, suivre*.

A		B
1. Maire	_______	a. Directives
2. Conseil des CE	_______	b. Jugements
3. Parlement	_______	c. Arrêtés
4. Préfet	_______	d. Règles coutumières
5. Président de la République	_______	e. Lois
6. Ministre	_______	f. Textes doctrinaux
7. Juridictions	_______	g. Traités
8. Professeurs de droit	_______	
9. Majorité de commerçants	_______	

3. Relier la loi nationale au droit communautaire

Dans chaque pays, la loi est élaborée de façon différente. Les deux documents ci-dessous vous expliquent comment naît une loi en France.

Document 1

En France, l'initiative de la loi appartient au Premier ministre (projet de loi) ou aux parlementaires (proposition de loi). Le cas le plus fréquent est celui du projet de loi. Son adoption par le Conseil des ministres est précédée d'un examen par le Conseil d'État, qui donne un avis. Le projet est ensuite déposé à l'Assemblée nationale ou au Sénat. Il est discuté en séance publique et modifié par des amendements, d'origine parlementaire ou gouvernementale. Pour être adopté, le projet doit être approuvé par les deux assemblées.

En cas de désaccord entre elles, les deux chambres peuvent continuer à se renvoyer un texte indéfiniment. Le gouvernement peut alors réunir une commission mixte paritaire, composée de sept députés et de sept sénateurs et chargée de mettre au point un texte commun. Si le désaccord persiste, le gouvernement demande à l'Assemblée nationale de statuer seule et définitivement.

Avant d'être promulguée par le président de la République et publiée au *Journal officiel*, et d'entrer alors en application, la loi peut être soumise au Conseil constitutionnel, qui vérifie qu'elle est bien conforme à la Constitution.

Document 2

Plantu

1. L'élaboration de la loi nationale

a. À l'aide du document 1 ci-contre, indiquez le rôle principal que chacune des institutions suivantes joue dans l'élaboration de la loi française.

– Le Premier ministre ______________________
– Le Conseil des ministres ______________________
– Le Conseil d'État ______________________
– Le Parlement ______________________
– La Commission mixte paritaire ______________________
– L' Assemblée nationale (seule) ______________________
– Le Conseil constitutionnel ______________________
– Le président de la République ______________________

b. Retrouvez dans le document 2 les principales étapes du processus d'élaboration de la loi.

c. Sur le modèle du document 1, expliquez comment est élaborée la loi dans votre pays.

2. La place du droit communautaire

Vous allez assister à un cours de M. Janin, professeur de droit européen à la Sorbonne.

a. Après avoir écouté (ou lu page 108) un extrait de ce cours, indiquez les deux grands principes qui y sont expliqués.

– 1er principe : ______________________
– 2e principe : ______________________

b. Indiquez auquel de ces deux principes se réfère chacune des affirmations suivantes.

	1er	2e
1. L'ordre juridique international est en principe supérieur à l'ordre juridique interne des États.	☐	☐
2. Le juge national a pour mission de protéger les droits que les lois européennes confèrent aux particuliers.	☐	☐
3. Tout ressortissant de l'Union européenne peut demander au juge de son pays l'application des traités, règlements, directives et décisions communautaires.	☐	☐
4. Le traité CEE a institué un ordre juridique propre dont peuvent bénéficier tous les citoyens de l'Union européenne.	☐	☐
5. Le juge national doit assurer le plein effet des normes communautaires en laissant au besoin inappliquée toute disposition de la législation nationale, même postérieure.	☐	☐

c. Imaginez que vous soyez un juge belge. Quelle est la question, *d'ordre juridique*, qui vous est posée dans le cas suivant ? Comment répondez-vous à cette question ? Finalement, M. Reyners pourra-t-il, oui ou non, travailler en Belgique ?

Un avocat néerlandais, maître Reyners, n'a pas été autorisé à exercer la profession d'avocat en Belgique en raison de sa nationalité, bien qu'il ait passé avec succès les examens nécessaires en Belgique. Devant le juge belge, maître Reyners invoque ses droits, en vertu de l'article 52 du traité CEE, qui confère aux citoyens de la Communauté le droit d'exercer une profession dans un autre État membre dans les mêmes conditions que les nationaux.

Tester ses connaissances

I. Faire le bon choix

Complétez les phrases suivantes en entourant la bonne réponse.

1. **Le comité ... son président parmi ses membres.**
   a. découvre
   b. désigne
   c. assure
   d. notifie

2. **Cette décision ... la majorité des suffrages.**
   a. requiert
   b. adopte
   c. défend
   d. prononce

3. **L'Assemblée peut être ... par le président.**
   a. dissolue
   b. dissolvée
   c. dissoute
   d. dissoudre

4. **Les lois sont ... au *Journal officiel*.**
   a. publiées
   b. interprétées
   c. trouvées
   d. votées

5. **Le Premier ministre est nommé ... le président.**
   a. pour
   b. par
   c. parmi
   d. vers

6. **Il est ... un procès-verbal des délibérations.**
   a. statué
   b. prononcé
   c. établi
   d. choisi

7. **Il ... au juge de juger.**
   a. faut
   b. appartient
   c. résulte
   d. est

8. **Le droit ... définit les infractions et les peines.**
   a. pénal
   b. civil
   c. du travail
   d. administratif

9. **Le ... administre la commune.**
   a. conseil régional
   b. conseil départemental
   c. conseil municipal
   d. conseil gouvernemental

10. **La loi ne peut pas être contraire à :**
    a. la jurisprudence
    b. la Constitution
    c. la coutume
    d. la doctrine

11. **La doctrine est principalement le fait :**
    a. des juges
    b. des parlementaires
    c. des professeurs de droit
    d. des ministres

12. **Le principal législateur de l'Union européenne est :**
    a. le Parlement européen
    b. la Commission
    c. le Conseil des ministres
    d. la Cour de justice

13. **La Commission européenne est installée à :**
    a. Bruxelles
    b. Luxembourg
    c. Strasbourg
    d. Maastricht

14. **Le traité de Rome date de :**
    a. 1947
    b. 1957
    c. 1967
    d. 1977

II. Chasser l'intrus

Dans chaque série de mots ou expressions suivants, barrez les deux intrus.

Exemple : anglais – français – allemand – ~~hélicoptère~~ – russe – ~~banane~~.

1. juge – loi, contrat – tribunal – ordre public– Code civil – ordinateur – convention – jardin.
2. Parlement – mariage – gouvernement – ministre – commission – conseil – président – chèque.
3. acheter – nommer – dissoudre – prêter – négocier – présider – consulter – signer – promulguer.
4. Suède – France – Allemagne – Italie – Grande-Bretagne – Espagne – Grèce – Portugal – Danemark – Belgique – Suisse – Autriche – Luxembourg – Irlande – Turquie – Finlande – Pays-Bas.
5. arrêté – domicile – Constitution – traité – décret – loi – réglement – créancier – directive.

III. Faire des phrases

A. Réécrivez les phrases suivantes en mettant les mots ou expressions suivants dans l'ordre, en commençant par le(s) premier(s) mot(s) proposé(s).

1. L'Assemblée – universel – au – élue – direct – suffrage – est – nationale.
2. Le Parlement – de la République – au – l'organisation – proposer – président – d'un référendum – peut.
3. La Commission – d'élaborer – a – mission – européenne – pour – des propositions.
4. Le Parlement – de recommandation – a – européen – de contrôle – et – des fonctions.
5. Le – territoires – applicable – aux – décret – d'outre-mer – présent – est.

B. Composez une phrase en utilisant les mots suivants dans l'ordre donné et en ajoutant les mots manquants. Mettez les verbes donnés ici à l'infinitif à des modes et temps qui conviennent.

1. Projets de loi – préparer – gouvernement – soumettre – vote – Parlement.
2. Lorsque – Assemblée nationale – désapprouver – programme du gouvernement – Premier ministre – remettre – démission du gouvernement – président de la République.
3. Constitution – réviser – soit par le Parlement – soit par référendum.
4. Nombre – fonctionnaires – travailler – Bruxelles – la Commission européenne – s'élever – 20 000 environ.
5. Conseil des ministres européen – former – représentants – gouvernements – États membres.

2 Les acteurs de la justice

1. Découvrir les juridictions judiciaires

En France, on distingue les juridictions de l'ordre judiciaire et les juridictions de l'ordre administratif. Les juridictions de l'ordre judiciaire sont soit civiles, soit pénales.

Les juridictions de 1er degré rendent des jugements. Les parties ont le plus souvent la possibilité de faire appel devant une cour d'appel et de se pourvoir en cassation devant la Cour de cassation. Cette dernière ne se prononce pas sur les faits ; elle vérifie seulement la correcte application de la loi. Les juridictions de 2e degré rendent des arrêts.

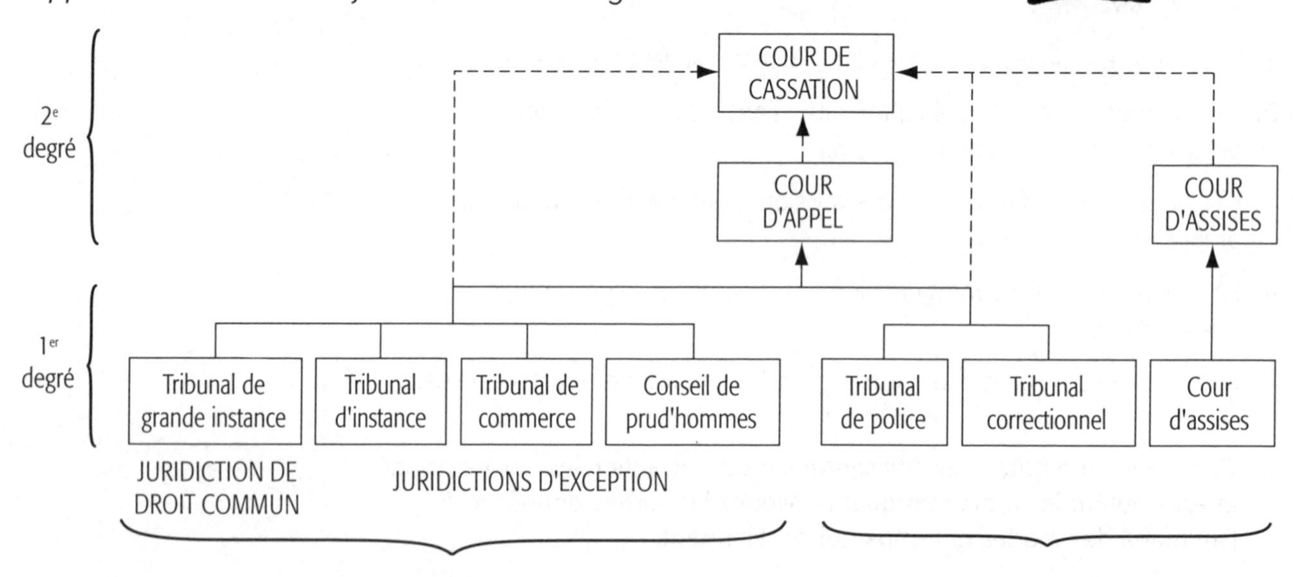

- **Tribunal de grande instance (TGI) :** On dit que c'est la juridiction de droit commun car elle est compétente pour toutes les matières de droit privé… sauf celles qui sont réservées à une autre juridiction.
- **Tribunal d'instance :** Compétent en droit civil pour les petites affaires (jusqu'à 5 000 €) et dans certaines matières bien déterminées (tutelles, loyers, etc.).
- **Tribunal de commerce :** Compétent pour les affaires de droit commercial.
- **Conseil de prud'hommes :** Compétent pour les conflits individuels du travail.

- **Tribunal de police :** Il juge les contraventions, c'est-à-dire les infractions de faible importance. *Ex. :* stationnement illégal de la voiture.
- **Tribunal correctionnel :** Il juge les délits, c'est-à-dire les infractions de moyenne importance. *Ex. :* vol.
- **Cour d'assises :** Elle juge les crimes, c'est-à-dire les infractions les plus graves. *Ex. :* meurtre, viol.

1. Comment dire

Une décision de justice comporte quatre parties :
– le résumé des faits et, le cas échéant, de la procédure,
– la demande et les arguments des parties,
– les motifs de la décision,
– la décision elle-même.

Mettez dans l'ordre les extraits de phrases suivants, tirés d'un même jugement :

a. Sur quoi, le tribunal … [4]
b. Attendu qu'aux termes de l'article … [ ]
c. Condamne la société défenderesse à … [ ]
d. Bernard Lévêque prétend que … [ ]
e. Par ces motifs … [ ]
f. Bernard Lévêque a été licencié le 3 mars … [ ]
g. La société défenderesse soutient que … [ ]

2. Poursuivre en justice

Complétez le tableau pour chacun des cas suivants.

Exemple :

Tony Cointre comparaît en justice pour homicide volontaire (assassinat).

1. Mme Rital demande le divorce.
2. M. Bert conteste le motif de son licenciement.
3. M. Lupin a été pris en flagrant délit de vol dans un grand magasin.
4. La Société Haut-Brane demande aux établissements Videlier le paiement de factures impayées.
5. M. Proprio demande à son locataire, étudiant, le paiement d'un loyer impayé.
6. M. Bert fait appel du jugement du conseil de prud'hommes.
7. Tony Cointre fait appel du jugement de la Cour d'assises.
8. Tony Cointre se pourvoit en cassation.

Branche	Demandeur	Défendeur	Juridiction
Pénal	Ministère public	T. Cointre	Cour d'assises
______	______	______	______
______	______	______	______
______	______	______	______
______	______	______	______
______	______	______	______
______	______	______	______
______	______	______	______
______	______	______	______

3. Rendre un jugement

Le juge s'exprime nécessairement (mais pas uniquement) par un écrit dressé en bonne et due forme par le secrétaire-greffier. L'original de cet écrit, nommé « minute », est conservé au greffe de la juridiction et chaque plaideur peut s'en faire délivrer une copie, nommée « expédition » ou « grosse ».

Audience publique du tribunal de grande instance de Montluçon (Allier) du mardi vingt-six avril mil neuf cent quatre-vingt-dix-sept sous la présidence de M. Raoul, président, assisté de Mme Roger, premier juge, et de M. Costat, juge, M. Videlier faisant fonction de secrétaire-greffier.

À cette audience, il a été rendu le jugement suivant :

Demandeur : M. Pierre Lebrun, demeurant à Commentry (Allier), 14 rue Henri-Barbusse, agissant en son nom et en qualité de représentant de son fils mineur, Nicolas Lebrun, représenté par Maître Campion, avocat au barreau de Montluçon

Défendeur : Julien Divon, demeurant à Deux-Chaises (Allier), représenté par Maître Dalle, avocat au barreau de Montluçon.

FAITS ET PROCÉDURE

Le 24 août 2005, Nicolas Lebrun, alors âgé de 10 ans, se rendit à la fête de Montluçon. Il acheta trois jetons au manège forain d'autotamponneuses exploité par Julien Divon et monta, seul, dans une voiturette. Ce véhicule ayant été heurté violemment à l'arrière, l'enfant fut projeté sur le volant et blessé à la bouche.
Son père, Pierre Lebrun, imputant à Divon l'entière responsabilité de l'accident, l'a, par exploit de Maître Durand, huissier de justice à Moulins, en date du 16 septembre 2005, assigné en réparation du préjudice subi.
Julien Divon, concluant au débouté de la demande, rétorque qu'il avait apposé sur son manège une pancarte ainsi libellée : « les enfants sont autorisés sous la responsabilité des parents », et qu'il avait ainsi dégagé, par avance, sa responsabilité.

SUR QUOI, LE TRIBUNAL

Attendu que l'exploitant d'un manège d'autotamponneuses est lié à son client par un contrat assimilable à un contrat de transport de personnes ; qu'il a donc l'obligation de conduire le voyageur et d'assurer sa sécurité ; qu'il ne peut dégager sa responsabilité par avance, par une simple pancarte.
Attendu que Julien Divon doit donc réparer intégralement le dommage subi par le jeune Nicolas Lebrun.

PAR CES MOTIFS

Le tribunal, après en avoir délibéré conformément à la loi, statuant publiquement, contradictoirement, en premier ressort,
Déclare Julien Divon tenu, vu l'article 1147 du Code civil, de réparer le préjudice subi par le jeune Nicolas Lebrun ;
Ordonne l'expertise médicale de ce dernier et commet, pour y procéder, M. Louis Blanc, médecin stomatologue, domicilié à Montluçon, avec mission d'examiner le jeune Nicolas Lebrun et de décrire les séquelles de ces blessures ;
Condamne Julien Divon aux dépens ;
Ordonne à tous huissiers de justice de mettre les présentes à exécution.

1. Comment analyser une décision de justice

Analysez le jugement ci-contre à l'aide de la fiche ci-dessous.

ANALYSE D'UNE DÉCISION DE JUSTICE

1. **Juridiction**

   Quelle est la juridiction qui statue ? S'agit-il d'un tribunal, d'une cour d'appel, de la Cour de cassation ?

2. **Parties au procès**

   Qui sont les parties au procès ? Qui sont le demandeur et le défendeur ?

3. **Faits**

   Quels sont les événements qui sont à l'origine du litige ?

4. **Prétentions des parties**

   Quelles sont les demandes des parties ?

5. **Moyens des parties**

   Quels sont les arguments juridiques des parties ?

6. **Problème juridique**

   Quel est le problème posé aux juges ? À quelle(s) question(s) doit répondre le tribunal ou la cour ?

7. **Procédure et solutions retenues**

Juridiction	Demandeur	Défendeur	Solution

Il est évident qu'il n'y a pas de procédure préalable pour un jugement rendu en première instance.

8. **Motifs de la décision**

   Quels sont les raisons, les arguments juridiques du tribunal ou de la cour à l'appui de leur décision ? Le cas échéant, quelle(s) critique(s) peut-on porter à la décision ?

2. Comment réformer la justice

Le 20 janvier 1997, le président Chirac annonçait, dans une allocution radio-télévisée, une réforme du fonctionnement de la justice. Il demandait au gouvernement de lui présenter un « plan d'action » destiné à moderniser l'appareil judiciaire.

Écoutez (ou lisez page 109) la deuxième et dernière partie de cette allocution et retrouvez-y la réponse du président aux trois questions suivantes.

a. Quelles critiques peut-on porter à la justice française ?
b. Pour quelles raisons faut-il augmenter les moyens consacrés à la justice ?
c. Comment pourra-t-on mieux utiliser ces moyens ?

2. Découvrir les juridictions administratives

Les juridictions administratives ont pour rôle de régler les litiges administratifs et de contrôler l'administration.

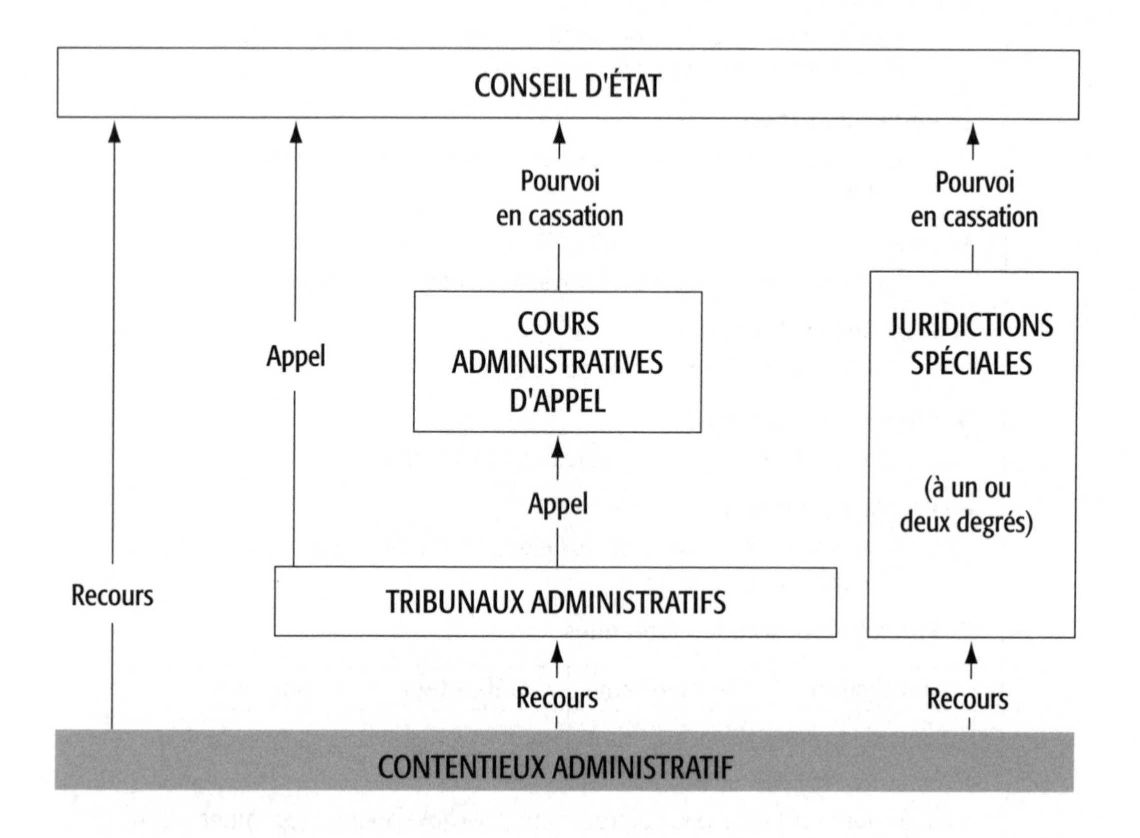

Le Conseil d'État

Il est juge d'appel ou de cassation. Il est juge d'appel à l'égard des jugements des tribunaux administratifs dans certains domaines, qui n'ont pas été inclus dans la compétence des cours administratives d'appel. Il est juge de cassation à l'égard des cours administratives d'appel et à l'égard de nombreuses juridictions spécialisées.
Il est juge de premier et dernier ressort pour certaines catégories de litiges : il doit alors être saisi immédiatement et son arrêt ne peut faire l'objet ni d'un appel, ni d'un pourvoi en cassation. C'est le cas, par exemple, du recours pour excès de pouvoir qui vise à obtenir l'annulation d'un décret signé par le président de la République ou par le Premier ministre.

Les cours administratives d'appel

Elles sont compétentes pour connaître de tous les appels des jugements des tribunaux administratifs dans le domaine des contrats administratifs et dans celui de la responsabilité de l'administration. En revanche, leur compétence est exclue dans le domaine du recours pour excès de pouvoir.

Les tribunaux administratifs

Ils sont compétents pour connaître en premier ressort de pratiquement tous les litiges relevant de l'ordre juridictionnel administratif, sauf de ceux qu'un texte a attribués à une juridiction spécialisée (comme la Cour des comptes, les organes disciplinaires des ordres professionnels, etc.).

1. Comment dire

Beaucoup de termes juridiques ont également un sens dans le langage commun. Dans la plupart des cas, il s'agit d'un sens différent.

1. Voici ci-dessous l'extrait d'une conversation informelle entre deux employés d'un tribunal administratif. Les termes soulignés sont employés dans un sens courant. Faites une ou plusieurs phrases en utilisant ces termes dans un sens juridique.

2. Recherchez le sens courant, puis le sens juridique, de chacun des mots suivants : *siège, barreau, parquet, minute, produire, pièce, meuble, assiette*.
   Puis faites une phrase avec chacun de ces mots, en les employant dans un sens juridique.

2. Suivre chaque étape de l'instance

À la différence du juge civil, le juge administratif recherche lui-même des éléments de la solution du litige. En vertu de ses pouvoirs d'instruction, il peut ainsi exiger de l'administration qu'elle produise certaines pièces écrites, qui lui permettront de se prononcer.

Mettez dans l'ordre chronologique les différentes étapes du déroulement de l'instance, données ci-dessous dans le désordre.

a. Ses éléments essentiels sont présentés par le magistrat qui a instruit le dossier, le rapporteur. ☐

b. L'affaire est alors mise en délibéré, et la décision est lue en séance publique quelque temps après. ☐

c. Lorsque l'instruction d'une affaire est terminée, elle est inscrite au rôle, et elle vient à l'audience. ☐

d. Enfin, le commissaire du gouvernement, qui est un membre de la juridiction (et non un représentant du gouvernement, comme son titre pourrait le faire penser), propose une solution. ☐

e. Puis interviennent, le cas échéant, les parties ou leurs avocats. ☐

3. Commenter un arrêt du Conseil d'État

Les décisions de justice importantes sont souvent rapportées et commentées par la presse, comme en témoigne l'article suivant.

Le Conseil d'État rappelle à l'ordre l'administration sur le droit d'asile

Dans son arrêt du 18 décembre 1996, la haute juridiction estime que le ministère de l'Intérieur a commis une « erreur de droit » en refoulant un Libérien qui avait déposé une demande de statut de réfugié politique à la frontière.

Les associations d'aide aux demandeurs de droit d'asile y voient « *une décision historique* ». Le ministère de l'Intérieur préfère parler d'un « *arrêt intéressant mais à portée limitée* ».

En confirmant, le 18 décembre 1996, un jugement rendu le 27 mai 1994 par le tribunal administratif de Paris, le Conseil d'État a dénoncé un axe majeur de la politique française, mais surtout européenne, en matière d'asile : le recours au « pays tiers d'accueil ». Ce principe permet à l'administration de ne pas examiner le dossier d'un demandeur d'asile pour peu que celui-ci ait transité par un pays pouvant lui accorder une protection. La Grande-Bretagne et l'Allemagne y ont recours depuis longtemps, renvoyant les demandeurs vers des dizaines de pays qualifiés de « sûrs ». L'administration française leur emboîte le pas. La haute juridiction administrative vient de la rappeler à l'ordre en limitant cette pratique aux seuls pays de la Communauté européenne ayant signé la convention de Schengen.

Le cas de Peter Rogers lui en a fourni l'occasion. Arrivé à Dunkerque, à bord d'un cargo le 4 avril 1994, ce jeune passager clandestin libérien avait immédiatement demandé l'asile politique à la France. Quelques jours plus tard, il apprenait que sa requête était rejetée. Le ministère de l'Intérieur avait jugé sa demande « *manifestement infondée* ».

La procédure utilisée par l'administration n'était pas nouvelle. Une loi du 6 juillet 1992 a prévu le placement en « zone d'attente » d'un étranger présentant une demande d'asile à son arrivée à une frontière aérienne ou maritime. Il est alors entendu par un fonctionnaire du ministère de l'Intérieur qui est chargé de dire si cette requête est « manifestement infondée ». Si c'est le cas, l'étranger est refoulé vers l'étranger. Sinon, il peut entrer en France et voir son dossier examiné en détail.

Reste à savoir où commence et où s'arrête la notion de demande « manifestement infondée ». L'étranger qui n'invoque aucune menace dans son pays d'origine est écarté, puisque l'objectif de ce premier tri est d'évacuer les réfugiés économiques. Idem pour celui dont le récit est « *dépourvu de toute substance ou crédibilité du fait d'invraisemblances flagrantes* », ajoute le ministère de l'Intérieur. Une demande peut également être refusée parce qu'elle est « *tardive* ». Reste enfin, et peut-être surtout, « *l'existence d'un pays tiers d'accueil* ». Ce critère ne figure dans aucune loi, mais deux résolutions adoptées en 1992 à Londres par les ministres de l'Intérieur des États membres de la Communauté européenne sont venues graver ce principe dans le marbre européen.

Or Peter Rogers a embarqué dans le port de Douala, au Cameroun. Pour le ministère de l'Intérieur, c'est dans ce pays, signataire de la convention de Genève sur la protection des réfugiés, qu'il aurait dû demander l'asile. Peter Rogers est donc refoulé. Peu importe si des menaces pèsent réellement sur lui... Saisi du dossier, le tribunal administratif condamne le ministère de l'Intérieur, qui fait immédiatement appel devant le Conseil d'État. La haute juridiction vient donc de confirmer ce jugement.

Dans ses motivations, le Conseil d'État estime que « *l'existence d'un pays tiers d'accueil ne peut pas à elle seule permettre de juger une demande d'asile comme manifestement infondée* ». Les résolutions de Londres invoquées par l'administration ? « *Dépourvues de valeur normative* », tranche le Conseil d'État, rappelant qu'une simple résolution n'a aucune valeur tant qu'elle n'est pas transcrite dans le droit national. Et les magistrats de conclure qu'en refoulant M. Rogers, le ministre de l'Intérieur a commis une « *erreur de droit* ».

Nathaniel Herzberg
Le Monde, 19/20 janvier 1997

1. Après avoir lu l'article de la page ci-contre, complétez le texte suivant.

Dans un **(1)** *a*________ rendu le 18 décembre, le Conseil d'État rappelle à l'ordre **(2)** *l'*________ française en matière de **(3)** *d*________ d'asile. La haute **(4)** *j*________ administrative estime que le **(5)** *m*________ de l'Intérieur a commis une «erreur de droit» en déclarant que la **(6)** *d*________ de statut déposée à la **(7)** *f*________ par un Libérien ayant transité auparavant par le **(8)** *C*________ était «manifestement infondée».

Le Conseil d'État limite ainsi aux seuls **(9)** *p*________ de l'espace Schengen le principe du **(10)** *r*________ au «pays tiers d'accueil», selon lequel l'administration peut refuser d'examiner la **(11)** *r*________ d'un **(12)** *d*________ d'asile qui a transité par un État pouvant lui assurer une **(13)** *p*________ .

La notion de «demande manifestement infondée» se trouve ainsi réduite à trois cas :

- Premier cas : **(14)** ________________________________
- Deuxième cas : **(15)** ________________________________
- Troisième cas : **(16)** ________________________________

2. À l'aide de la fiche d'analyse de la page 29, examinez la décision du Conseil d'État, dont il est rendu compte dans l'article ci-contre.

3. Quelle est la portée de la décision du Conseil d'État ? Écoutez (ou lisez page 109) l'interview de maître Isabelle Campion, avocate à la cour d'appel de Rennes, spécialisée dans la défense des immigrés, et indiquez, en vous justifiant, si les affirmations suivantes sont vraies ou fausses. Puis résumez les propos de maître Campion en 150 mots environ.

	Vrai	Faux
1. La décision du Conseil d'État concerne la plupart des demandes de droit d'asile.	☐	☐
2. Au total, le Conseil d'État contrôle très peu les décisions administratives en matière de droit d'asile.	☐	☐
3. Il est de plus en plus difficile d'obtenir l'asile politique en France.	☐	☐
4. L'administration française ne respecte pas la convention de Genève.	☐	☐
5. Cette année, 107 Libériens ont été expulsés sans que le dossier d'aucun d'entre eux n'ait été examiné.	☐	☐

4. Vous travaillez au ministère de l'Intérieur. Votre travail consiste à donner, par écrit et très brièvement, un premier avis sur les demandes d'asile politique qui sont présentées. Que répondez-vous aux demandes ci-dessous ?

Cas 1. M. Selassié, originaire d'Éthiopie, est un des principaux opposants politiques au pouvoir en place. De plus en plus menacé par les autorités de son pays, il a préféré fuir pour l'étranger. Après un long et pénible voyage en bateau, il débarque clandestinement dans le port de Hambourg, en Allemagne, d'où il prend (le lendemain) un autre bateau pour la France. À peine débarqué au Havre, en France, il demande l'asile politique.

Cas 2. M. Kampong, originaire de Malaisie, a lui aussi fait un long et pénible voyage en bateau. Après avoir transité par plusieurs pays d'Asie et d'Afrique, il débarque finalement à Dunkerque, un port situé dans le nord de la France. M. Kampong présente immédiatement une demande d'asile au motif qu'il vivait dans son pays dans des conditions d'extrême pauvreté.

Cas 3. M. Mohammed a été découvert à bord d'un cargo, en provenance directe d'Algérie, qui a accosté à Marseille, dans le sud de la France. Le capitaine du navire a immédiatement alerté les autorités françaises. M. Mohammed demande l'asile politique au motif que, dans son pays, sa vie est gravement menacée par un groupe terroriste.

3. Découvrir les juridictions européennes

La Cour de justice de l'Union européenne (CJUE) est formée de vingt-cinq juges assistés de huit avocats généraux. Ces derniers donnent un avis détaillé sur les questions de droit soulevées dans chaque affaire. Un tribunal formé de vingt-cinq juges, a été adjoint à la Cour.
Les membres de ces instances, dont le siège est fixé à Luxembourg, sont nommés pour six ans, d'un commun accord des gouvernements.

La Cour de justice de l'Union européenne a pour mission d'assurer le respect du droit communautaire.

- **Le recours en manquement** permet de faire constater par la Cour qu'un État membre n'a pas respecté le droit communautaire. Seuls la Commission et les États membres peuvent introduire un tel recours.
- **Le recours en annulation** a pour finalité de faire annuler par la Cour une loi européenne. Il peut être introduit par les États membres, le Conseil, la Commission et, dans certains cas, le Parlement européen. Un simple particulier ne peut former un tel recours que contre les décisions qui le concernent directement et individuellement.
- **Le recours en carence** sanctionne l'inertie des institutions communautaires de décision (absence de propositions de la Commission ou absence de décisions du Conseil des ministres).
- **Le recours en réparation** offre la possibilité aux citoyens et entreprises communautaires de demander réparation du préjudice subi du fait d'un agent ou organe de l'Union européenne.
- **Les pourvois** permettent à la Cour de statuer en cassation contre les arrêts du tribunal.
- **Les renvois préjudiciels** permettent aux juges nationaux de consulter la Cour si, au cours d'un litige qui leur est soumis, ils ont un doute sur l'interprétation du droit communautaire.

Le tribunal est compétent pour examiner les recours introduits par les particuliers et les entreprises, un pourvoi limité aux questions de droit étant alors possible devant la Cour.

1. Comment dire

Les verbes exprimant la décision des juges sont le plus souvent à la troisième personne du singulier du présent de l'indicatif.

Pour chacune des situations suivantes, indiquez si le verbe utilisé exprime une décision qui vous est favorable (FAV) ou une décision qui vous est défavorable (DÉF).

Exemple : Vous êtes demandeur en première instance.

- déboute FAV (DÉF)

1. Vous avez fait appel.

a. annule FAV DÉF

b. confirme FAV DÉF

c. reçoit en son appel FAV DÉF

d. infirme FAV DÉF

2. Vous vous êtes pourvu en cassation.

a. rejette le pourvoi FAV DÉF

b. casse FAV DÉF

c. renvoie FAV DÉF

3. Vous êtes mis en cause devant une juridiction pénale.

a. condamne FAV DÉF

b. relaxe FAV DÉF

c. acquitte FAV DÉF

2. Trouver la bonne voie

Indiquez à quel type de voie de recours devant la CJCE se réfère chacun des cas suivants.

1. En pratique, ce recours est exercé par la Commission, qui peut être informée par diverses sources qu'un État ne se conforme pas à ses obligations. *recours en manquement*
2. Ce n'est pas le litige principal qui est porté devant la Cour de justice. Il s'agit d'une procédure entre juges, dans l'intérêt du droit. ____________
3. Ce recours permet d'attaquer l'attitude d'une institution communautaire, fautive de ne pas avoir adopté un acte juridique. ____________
4. Dans le cadre de cette procédure, le juge recherche si, du fait du traité, l'institution en cause (Conseil ou Commission) était dans l'obligation juridique d'agir. ____________
5. Cette procédure vise à éviter les divergences entre juridictions nationales dans l'application du droit communautaire. ____________
6. Ce recours peut être exercé en vertu de l'article 173 du traité CEE, aux termes duquel « la Cour de justice contrôle la légalité des actes du Conseil autres que des recommandations ou avis ». ____________
7. Le juge peut soit rejeter le recours, soit déclarer l'acte contesté « nul et non avenu ». ____________
8. Ce recours peut être exercé contre un État qui n'a pas exécuté un arrêt, qui n'a pas transposé une directive dans les délais imposés ou qui l'a transposée de manière incorrecte. ____________

3. Commenter un arrêt de la Cour de justice européenne

La Cour de justice de l'Union europénne a fortement contribué à renforcer l'égalité entre les hommes et les femmes. L'arrêt dont voici ci-dessous des extraits témoigne de cette jurisprudence.

LA COUR. – 1. – Par jugement du 4 oct. 1989 parvenu à la Cour le 9 nov. suivant, le tribunal de police d'Illkirch (France) a posé, en application de l'art. 177 du traité CEE, une question préjudicielle portant sur l'interprétation de l'art. 5 de la directive 76/207 CEE, du Conseil, du 9 févr. 1976.

2. – Cette question a été soulevée dans le cadre d'une procédure pénale poursuivie contre M. Stroeckel, directeur de la SA Suma, prévenu d'avoir employé, le 28 oct. 1988, 77 femmes à un travail de nuit en infraction de l'art. L. 213-1 du Code de travail français.

3. – Selon l'art. 5 de la directive 76/207, précitée, le principe de l'égalité de traitement en ce qui concerne les conditions de travail implique que soient assurées aux hommes et aux femmes les mêmes conditions, sans discrimination fondée sur le sexe. Toutefois, selon l'art. 2, paragr. 3, la directive ne fait pas obstacle aux dispositions relatives à la protection de la femme, notamment en ce qui concerne la grossesse et la maternité.

4. – Selon l'art. L. 213-1 du Code du travail français, les femmes ne peuvent être employées à aucun travail de nuit notamment dans les usines, manufactures et ateliers de quelque nature que ce soit.

8. – Devant le tribunal de police, M. Stoeckel a soutenu que l'art. L. 213 contrevenait à l'art. 5 de la directive 76/207, précitée.

9. – Dans ces conditions, le tribunal de police d'Illkirch a décidé de surseoir à statuer jusqu'à ce que la Cour se soit prononcée à titre préjudiciel.

14. – Le gouvernement français fait valoir que l'interdiction du travail de nuit des femmes répond à des objectifs généraux de protection de la main-d'œuvre féminine et à des considérations particulières d'ordre social tenant, par exemple, aux risques d'agression et à la charge supérieure de travail familial pesant sur les femmes.

15. – En ce qui concerne les objectifs de protection de la main-d'œuvre féminine, il n'apparaît pas que les risques auxquels les femmes sont exposées dans un travail de nuit soient, de façon générale, différents par leur nature de ceux auxquels sont également exposés les hommes.

16. – En ce qui concerne les risques d'agression, à supposer qu'ils soient plus grands la nuit que le jour, des mesures appropriées peuvent être adoptées pour y faire face sans porter atteinte au principe fondamental d'égalité de traitement entre hommes et femmes.

17. – Quant aux responsabilités familiales, la Cour a déjà dit que la directive n'avait pas pour objet de régler des questions relatives à l'organisation de la famille ou de modifier la répartition des responsabilités au sein du couple (V. arrêt du 12 juillet 1984, 184/83, *Hofman, Rec. cjce*, p. 3047, point 24).

18. – Ainsi, le souci de protection qui a inspiré à l'origine l'interdiction de principe du travail de nuit féminin n'apparaît plus fondé.

Par ces motifs, statuant sur la question à elle posée par le tribunal de police d'Illkirch, par jugement du 4 octobre 1989, dit pour droit : L'art. 5 de la directive 76/207/CEE du Conseil, du 9 février 1976 est suffisamment précis pour créer à la charge des États membres l'obligation de ne pas poser en principe législatif l'interdiction du travail de nuit des femmes, alors qu'il n'existe aucune interdiction du travail de nuit pour les hommes.

CJCE 25 juill. 1991, aff. C-345/89. - MM. Due, prés. – Tesauro, av. gén. – Me Alexandre (du barreau de Strasbourg), av.

1. **Quelles sont vos sources ?**

Dans la décision ci-contre sont citées les sources de droit suivantes : *jugement, traité, directive, loi, arrêt.*

a. **Indiquez, plus précisément, à quel texte il est fait ici référence** (date, numéro, origine, article, etc.).

b. **Classez-les hiérarchiquement dans le tableau ci-contre.**

1.
2.
3.
4.
5.

2. **D'où tirez-vous ces informations ?**

Indiquez dans quel paragraphe de l'arrêt se trouve chacune des informations suivantes.

a. Le tribunal français attend de connaître la décision de la Cour européenne pour prononcer son jugement. ☐

b. Le tribunal a posé une question à la Cour européenne sur l'interprétation d'une directive du Conseil. ☐

c. D'après la loi française, il est interdit de faire travailler les femmes la nuit. ☐

d. Il est exagéré de ne pas respecter le principe d'égalité entre les hommes et les femmes dans le but d'éviter de prétendues agressions pendant la nuit. ☐

e. Le prévenu prétend que la loi française ne respecte pas le droit communautaire. ☐

f. Les risques du travail de nuit ne touchent pas plus les femmes que les hommes. ☐

g. L'interdiction de travail de nuit des femmes n'est plus justifiée. ☐

h. Le dirigeant d'une entreprise française est poursuivi devant un tribunal français pour avoir fait travailler des femmes la nuit. ☐

i. La directive 76/207 stipule que les hommes et les femmes doivent avoir les mêmes droits dans leurs activités professionnelles. ☐

j. La loi française interdit le travail de nuit des femmes dans un souci de protection et pour des raisons d'ordre social. ☐

k. La question du rôle de la femme au sein de la famille est étrangère à l'objet de la directive 76/207. ☐

3. **Quelle analyse faites-vous ?**

Complétez l'analyse de l'arrêt à l'aide de la grille d'analyse de la page 29.

4. **Que raconte le journal ?**

Pour un journal d'informations générales, écrivez un article rapportant et commentant cette décision de la CJCE.

4. Rencontrer des professionnels du droit

Des professionnels du droit nous parlent de leur métier. Écoutons-les.

Nous jugeons. On dit que nous, *les juges*, appartenons à la *magistrature assise* parce que nous restons assis pendant les audiences. Pour garantir notre indépendance, nous sommes inamovibles, ce qui veut dire qu'on ne peut ni nous destituer de nos fonctions ni même nous déplacer.

1. Les magistrats du siège

Nous représentons et défendons nos clients devant les cours et tribunaux. Nous plaidons.

2. Les avocats

On dit que nous appartenons à la *magistrature debout* parce que nous restons debout pendant les audiences. On nous appelle aussi les magistrats du *ministère public* ou du *parquet* ou encore les *procureurs de la République*. Notre rôle n'est pas de juger, mais de réclamer justice au nom de la société.

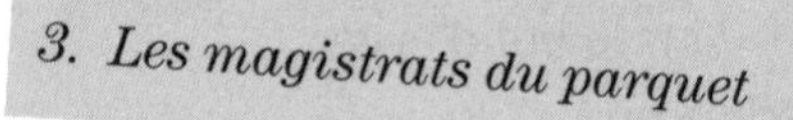

3. Les magistrats du parquet

Nous travaillons plutôt dans de grandes entreprises et sommes souvent spécialisés dans une branche du droit des affaires : fiscalité, assurances, brevets, contrats internationaux, etc.

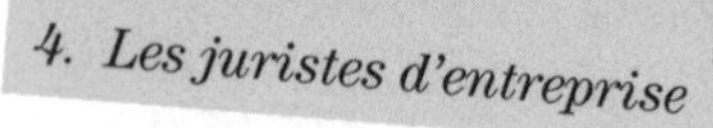

4. Les juristes d'entreprise

Nous sommes chargés du secrétariat du tribunal. C'est nous qui délivrons certains actes, comme les copies des jugements, que nous appelons les « grosses ».

5. Les greffiers

Nous sommes chargés des significations judiciaires et extra-judiciaires. Par exemple, c'est nous qui informons les particuliers qu'une action en justice est ouverte contre eux. Nous sommes aussi chargés de l'exécution forcée de certains actes publics, comme les jugements ou les actes notariés. Par exemple, nous devons parfois saisir des meubles chez un particulier.

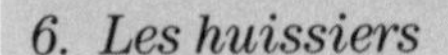

6. Les huissiers

Nous rédigeons et authentifions certains actes juridiques, comme les contrats. Nous conseillons les particuliers.

7. Les notaires

1. Comment dire

Dans la langue du droit, les **participes présents** *et les* **participes passés** *sont souvent employés comme* **noms** *pour désigner les acteurs du droit. Cette technique permet de raccourcir l'expression en évitant d'avoir recours à une proposition relative : « celui qui adopte » devient « l'adoptant », « celui qui est condamné » devient « le condamné ».*

En utilisant chacun des verbes suivants, soit au participe présent, soit au participe passé, retrouvez le nom des acteurs des situations ci-dessous : *accuser, requérir, commercer, associer, gérer, jurer, consulter, contracter, détenir, appeler.*

1. *Il est l'auteur d'une requête.* — *le requérant*
2. Il est membre d'un jury criminel. ____________
3. Il comparaît devant la cour d'assises. ____________
4. Il fait appel du jugement. ____________
5. Il est partie à un contrat. ____________
6. Il a apporté du capital à une société. ____________
7. Il est chargé d'administrer une entreprise. ____________
8. Il exerce une activité commerciale. ____________
9. En sa qualité d'expert, il donne son avis. ____________
10. Il est incarcéré. ____________

2. Reconnaître un professionnel

a. **Retrouvez parmi ces professionnels du droit l'auteur de chacune des déclarations ci-dessous.**

b. **Puis retrouvez le(s) destinataire(s) de cette déclaration parmi les personnes suivantes :** *créancier, jurés d'assises, assureur, cocontractants, témoin, avocat, juge du tribunal correctionnel.*

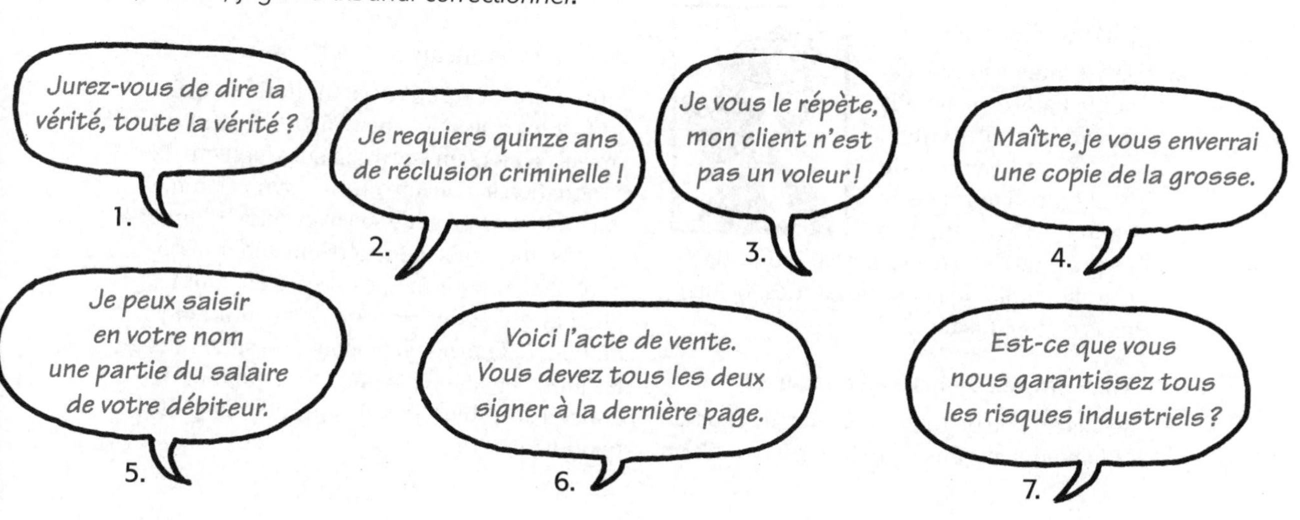

3. Travailler comme avocat

Pierre Renard, Françoise Laudet, Isabelle Campion ont fait leurs études de droit à Paris et tous trois sont devenus avocats. Nous les avons retrouvés dix ans après leur sortie de la faculté.

MAÎTRE PIERRE RENARD

Où travaillez-vous ?

Je travaille dans l'un des plus gros cabinets parisiens.
Nos bureaux occupent six niveaux d'un immeuble du 7e arrondissement. Il y a 50 associés et 180 collaborateurs salariés.

Êtes-vous associé ?

Non, pour l'instant, je suis encore salarié et je gagne un salaire fixe, qui est, disons, convenable.

Et en quoi consiste votre travail ?

Le cabinet comporte 14 services et je travaille dans celui de la propriété industrielle. Mes dossiers sont principalement des affaires de contrefaçon de marques, de brevets et de dessins et modèles. Ces six derniers mois, j'ai plaidé 15 fois dont 10 fois pour Levi Strauss, le fabricant américain de jeans, qui est client du cabinet depuis 18 ans. Évidemment, je travaille beaucoup en anglais.

MAÎTRE FRANÇOISE LAUDET

Vous travaillez à Paris...

C'est exact. Je suis associée dans un petit cabinet parisien. Nous sommes en tout 8 associés et nous gagnons tous très bien notre vie.
J'interviens dans tous les domaines du droit des affaires : les baux commerciaux, le droit de la distribution, le recouvrement des créances, le redressement judiciaire, etc.

Vos clients sont donc des entreprises...

De petites et moyennes entreprises. Ce sont des chefs d'entreprise qui connaissent le monde juridique. J'évite les dossiers qui comportent une dimension émotionnelle trop forte.

Est-ce qu'il vous arrive de plaider ?

Je plaide une ou deux fois par semaine, pas plus, et toujours en droit des affaires. Ceci dit, je fais tout mon possible pour éviter le contentieux parce que je me considère avant tout comme un conseil. J'essaye systématiquement de trouver un accord avec l'avocat de la partie adverse. Pour moi, l'avocat d'aujourd'hui n'est plus un plaideur ; c'est un homme de dossiers.

MAÎTRE ISABELLE CAMPION

Où travaillez-vous ?

Après mes études, j'ai quitté Paris et je me suis installée en province, dans une ville de Bretagne. J'ai repris le cabinet d'un confrère qui prenait sa retraite et comme lui, je travaille seule. Je ne gagne pas des fortunes, mais c'est suffisant.

Vous travaillez dans quel domaine ?

Je fais un peu de tout. Beaucoup de droit de la famille, mais aussi du droit du travail, un peu de droit des affaires, un peu même de droit pénal.

Qui sont vos clients ?

Mon client, ce peut être un homme qui a trouvé les huissiers chez lui en rentrant du travail ou alors un Marocain qui s'inquiète de sa situation irrégulière ou encore une femme qui hésite à divorcer de son mari qui la trompe. Je suis une espèce de médecin généraliste. Être avocat pour moi, c'est être en contact permanent avec les gens, les aider, les défendre. Je plaide beaucoup, presque tous les jours, et j'aime plaider. Ceux qui font du conseil sont bien loin des préoccupations quotidiennes des gens.

1. **Complétez le tableau ci-contre pour chacun(e) des avocat(e)s.**

	Me Renard	Me Laudet	Me Campion
– Lieu de travail	______	______	______
– Nombre d'associés	______	______	______
– Type de clientèle	______	______	______
– Domaine de spécialisation	______	______	______

2. **Cochez la bonne case.**

A. C'est probablement :

	Me Renard	Me Laudet	Me Campion
a. le (la) plus spécialisé(e) des trois	☐	☐	☐
b. le (la) plus compétent(e) en droit des sociétés	☐	☐	☐
c. le (la) plus proche de ses clients	☐	☐	☐
d. le (la) plus présent(e) au palais de justice	☐	☐	☐
e. le (la) mieux rémunéré(e)	☐	☐	☐

B. C'est probablement celui (celle) qui a :

	Me Renard	Me Laudet	Me Campion
a. la rémunération la plus stable	☐	☐	☐
b. la clientèle la plus diversifiée	☐	☐	☐
c. le moins grand nombre de clients	☐	☐	☐
d. une clientèle de petits commerçants	☐	☐	☐
e. la facture de téléphone la plus élevée	☐	☐	☐

3. **Lequel de ces trois avocats vaut-il mieux consulter dans les situations suivantes ?**

	Me Renard	Me Laudet	Me Campion
a. Pierre et Marie veulent créer une entreprise.	☐	☐	☐
b. Le fils de Mme Leduc a été surpris en flagrant délit de vol.	☐	☐	☐
c. Un client de la société Bouchard refuse de payer une facture.	☐	☐	☐
d. Mlle Ritas a été injustement licenciée par la société qui l'employait.	☐	☐	☐
e. Vous avez inventé un peigne électronique et vous souhaitez protéger votre invention.	☐	☐	☐
f. Daniel conteste l'authenticité d'un testament laissé par son père, décédé.	☐	☐	☐
g. Votre concurrent utilise pour ses produits une étiquette copiée sur la vôtre.	☐	☐	☐

4. **Lequel de ces trois avocats aimeriez-vous être ? Pourquoi ?**

5. **Pour un journal lu par des étudiants en droit, rédigez un article présentant le portrait de trois types d'avocats différents.**

Tester ses connaissances

I. Faire le bon choix

Complétez les phrases suivantes en entourant la bonne réponse.

1. **… peut saisir le tribunal?**
   a. Quoi
   b. Quel
   c. Qui
   d. Où

2. **A-t-il consulté un avocat? Pas encore, mais il va bientôt…**
   a. le consulter
   b. leur consulter
   c. en consulter un
   d. en consulter

3. **Tout … est présumé innocent.**
   a. accusé
   b. condamné
   c. détenu
   d. appelant

4. **Le … porte plainte.**
   a. plaideur
   b. plaignant
   c. plaigneur
   d. plaintif

5. **Le mandataire agit au nom du …**
   a. mandateur
   b. mandant
   c. mandaté
   d. mandeur

6. **Il doit … en personne devant le tribunal.**
   a. assigner
   b. comparaître
   c. délibérer
   d. convoquer

7. **Ils ont confié la … de leurs intérêts à leur avocat, Me Campion.**
   a. rupture
   b. défense
   c. résistance
   d. sûreté

8. **Il a fait … du jugement du conseil de prud'hommes.**
   a. affaire
   b. autorité
   c. résiliation
   d. appel

9. **Il a été condamné à une …**
   a. dépense
   b. amende
   c. prison
   d. responsabilité

10. **Nous porterons cette … en justice, s'il le faut.**
    a. situation
    b. aventure
    c. affaire
    d. conjoncture

11. **Le litige en suspens n'est pas près d'être …**
    a. réglé
    b. accordé
    c. soldé
    d. acquitté

12. **Pourriez-vous nous donner la preuve du …?**
    a. contraire
    b. contre
    c. contraste
    d. contradiction

13. **Les juges ont … leur décision.**
    a. donné
    b. fait
    c. rendu
    d. achevé

14. **La partie … fait appel.**
    a. éjectée
    b. démolie
    c. déboutée
    d. éliminée

II. Chasser l'intrus

Dans chaque série de mots ou expressions suivants, barrez les deux intrus.

1. greffier – ouvrier – avocat – notaire – juge – huissier – boulanger – avoué – procureur.
2. cour d'appel – Cour de cassation – cour de récréation – cour d'assises – Cour des comptes – cour des miracles – Cour de sûreté de l'État.
3. tribunal d'instance – conseil de prud'hommes – Conseil d'État – tribunal de police – tribunal correctionnel – tribunal administratif – cour d'appel.
4. casser – annuler – inventer – débouter – condamner – infirmer – rejeter – acheter.
5. litige – désaccord – accord – différend – contestation – acceptation – conflit.

III. Faire des phrases

A. Réécrivez les phrases ci-dessous en mettant les mots ou expressions suivants dans l'ordre, en commençant par le(s) premier(s) mot(s) proposé(s).

1. Maître Lacour – en – travail – droit – spécialisé – est – un – du – avocat.
2. Le ministère – a – peine – public – maximale – la – requis.
3. Le demandeur – aucune – sa demande – preuve – à l'appui de – n'apporte.
4. La plainte – au – par – transmise – la – parquet – police – est.
5. La cour – tribunal – confirmé – jugement – grande – d'appel – instance – a – du – le – de.

B. Composez une phrase en utilisant les mots suivants dans l'ordre donné et en ajoutant les mots manquants. Mettez les verbes donnés ici à l'infinitif à des modes et temps qui conviennent.

1. La compétence territoriale – la juridiction – déterminer – lieu – domicile – défendeur.
2. Les tribunaux de commerce – composer – commerçants – élire – pairs.
3. L'avocat – accomplir – actes – procédure – représenter – client – tribunal.
4. La chambre civile – Cour de cassation – casser – arrêt – rendre – cour d'appel – Rouen – 18 novembre 1998.
5. L'État espagnol – introduire – CJUE – recours – annulation – directive 99/120.

3 Droits et biens des personnes juridiques

1. Identifier les personnes juridiques

Pour le juriste, il y a deux catégories de personnes : les personnes physiques et les personnes morales. Pendant leur existence, ces personnes juridiques exercent des droits et remplissent des obligations. Les droits et les obligations (charges) appréciables en argent constituent le patrimoine d'une personne.

La personnalité juridique des personnes physiques apparaît avec la naissance et disparaît avec la mort. Les personnes morales existent à compter de leur inscription à un organisme administratif et disparaissent à leur dissolution.

PHYSIQUES

MORALES

- *Les personnes physiques*

Il n'y a qu'un seul type de personne physique : c'est l'être humain. Tout individu est une personne juridique. Autrement dit, toute personne physique a la personnalité juridique.

- *Les personnes morales*

De droit public

- **Les administrations publiques :** l'État, les collectivités territoriales (la commune, le département, la région), la Commission européenne, etc.
- **Les établissements publics.** Ils gèrent une activité spécifique de service public. *Exemples :* universités, chambres de commerce et d'industrie, hôpitaux, etc.

De droit privé

- **Les sociétés.** Elles ont pour objectif de réaliser des bénéfices. Leur patrimoine est constitué des biens apportés par les associés. Ces derniers se partageront les bénéfices (ou les pertes) résultant de l'activité de la société.
- **Les associations.** À la différence des sociétés, elles ont un but non lucratif. S'il y a des bénéfices, ceux-ci ne seront pas partagés ; ils seront affectés aux buts visés par l'association. *Exemples :* associations sportive, culturelle, caritative.
- **Les syndicats.** Ils sont gérés comme des associations et ont pour but de défendre des intérêts professionnels.
- **Les ordres professionnels.** Ce sont des groupements auxquels sont obligatoirement affiliés les membres de certaines professions et qui ont un pouvoir réglementaire et disciplinaire. *Exemples :* ordre des médecins, des avocats, des notaires, des avoués, etc.

1. Comment dire

Dans une règle de droit, la **troisième personne du singulier**, *sujet du verbe, désigne toute personne placée dans une situation déterminée. Elle est le plus souvent au masculin, précédée de l'article défini.*

Exemples : le vendeur, l'acheteur, le créancier, le débiteur, le mandant, le mandataire, l'assureur, le prêteur, l'emprunteur, le bénéficiaire, le survivant, le défunt, le conjoint, le mineur, l'étranger, le juge, le fermier, etc.

Complétez les articles de loi suivants en retrouvant la personne concernée.

1. **C. civ., art. 1902 :** L' _______ est tenu de rendre les choses prêtées, en même quantité et qualité, et au terme convenu.
2. **C. civ., art. 1989 :** Le _______ ne peut rien faire au-delà de ce qui est porté dans son mandat.
3. **C. com., art. 2 :** Le _______, même émancipé, ne peut être commerçant.
4. **C. com., art. 4 :** Le _______ d'un commerçant n'est réputé lui-même commerçant que s'il exerce une activité commerciale séparée de celle de son époux.

2. Mettre en relation

M. Monet est directeur commercial dans l'entreprise Peugeot. Quand il voyage aux États-Unis pour affaires, c'est généralement avec American Airlines. Pendant ses loisirs, il joue au football dans un club amateur, les Grands Lascards. C'est en jouant qu'il s'est fracturé le fémur ; il vient d'être opéré à l'hôpital Lariboisière, à Paris.

Monsieur Monet

Mme Monet est professeur d'allemand à l'université de Créteil. C'est une femme très active : elle milite au syndicat FO (Force ouvrière) et dirige la section locale d'Amnesty International. Elle est en ce moment en vacances au Club Méditerranée.

Madame Monet

Indiquez le nom des personnes morales avec lesquelles M. et Mme Monet ont des relations, en indiquant à quelle catégorie (société, association, etc.) appartient chacune d'elles.

M. Monet	Mme Monet
1. ____________________	1. ____________________
2. ____________________	2. ____________________
3. ____________________	3. ____________________
4. ____________________	4. ____________________

3. Identifier un commerçant

M. Dumas est un homme d'affaires.
Son histoire commence à Bron, une petite ville située dans le département du Rhône, et se poursuit à Paris, comme en témoignent les documents ci-dessous.

Document 1

MAIRIE DE BRON
(RHÔNE)

Acte de naissance

EXTRAIT DES REGISTRES DE L'ÉTAT CIVIL
de la Ville de Bron

Année 1968

NAISSANCE D'ENFANT LÉGITIME

Le deux janvier mil neuf cent soixante-huit à treize heures trente est né 10 rue de la Fidélité Daniel Jean, de sexe masculin, de François Dumas, né à Lyon premier arrondissement (Rhône) le quatorze juillet mil neuf cent quarante-neuf, ouvrier, et de Martine Pelouse, son épouse, née à Lyon deuxième arrondissement (Rhône) le premier janvier mil neuf cent cinquante, vendeuse, domiciliés à Bron (Rhône) place de la Liberté. Dressé le trois janvier mil neuf cent soixante-huit à quinze heures, sur la déclaration du père, qui lecture faite et invité à lire l'acte, a signé avec Nous, François Estier, Adjoint au Maire de Bron, Officier de l'état civil par délégation.

Document 2

124287 – Petites-Affiches

Suivant acte sous seing privé en date à Paris du vingt-six juillet deux mil cinq.
Il a été constitué une société à responsabilité limitée dénommée :

LILLI COLLECTION

Siège social : 247, rue de Vaugirard, Paris (quinzième arrondissement)

CAPITAL : dix mille euros.
DURÉE : Quatre-vingt-dix-neuf ans à compter de la date d'immatriculation.
OBJET : L'achat, la vente, le commerce en général, de tous les articles se rapportant à la mode, à la confection, aux cadeaux et accessoires et gadgets, et toutes activités connexes.
GÉRANT : Monsieur Daniel Dumas, de nationalité française, né le deux janvier mil neuf cent soixante-huit à Bron (Rhône), demeurant 11 bis, rue Jean-Nicot, Paris (septième arrondissement).
La société sera immatriculée au Registre du commerce et des sociétés de Paris.

1. Comment est née Lilli Collection

Complétez le texte ci-dessous avec les verbes suivants, au mode et au temps qui conviennent :
représenter, exister, indiquer, accomplir, publier, domicilier, créer, être, dissoudre, acquérir, naître, immatriculer.

L'annonce **(1)**_______ sous le numéro 124287 dans le journal *Les Petites-Affiches* **(2)**_______ que la société Lilli Collection a été **(3)**_______ le 26 juillet 2005 à Paris. Toutefois, cette société n'**(4)**_______ pas encore une personne juridique. En effet, pour qu'une société **(5)**_______ la personnalité juridique, elle doit être **(6)**_______ au registre du commerce et des sociétés. Cette formalité n'a pas été **(7)**_______ pour Lilli Collection.

La société est **(8)**_______ par Monsieur Dumas, son gérant. Ce dernier **(9)**_______ à Bron en 1968, mais il est aujourd'hui **(10)**_______ à Paris (7e arrondissement). La société peut **(11)**_______ pendant 99 ans, mais elle peut être **(12)**_______ à tout moment par les associés.

2. Comment établir une fiche d'identité

a. Parmi les éléments d'identification suivants, distinguez ceux qui permettent d'identifier une personne physique (PP) et ceux qui permettent d'identifier une personne morale (PM).

	PP	PM
1. Nom, prénom	___	___
2. Raison sociale	___	___
3. Forme juridique	___	___
4. Profession	___	___
5. Objet	___	___
6. Date de création	___	___

	PP	PM
7. Lieu et date de naissance	___	___
8. Siège social	___	___
9. Domicile	___	___
10. Capital	___	___
11. Lieu et date d'immatriculation	___	___

b. À l'aide des éléments ci-dessus, établissez les fiches d'identité de M. Dumas et de Lilli Collection.

3. Comment créer une entreprise

M. Dumas a longtemps été dans les affaires.
Avant de créer Lilli Collection, il faisait du commerce en son propre nom. Il nous fait maintenant part de son expérience.

a. Écoutez-le d'abord (ou lisez page 110), puis trouvez le mot manquant dans les deux phrases suivantes.

– La _______ indique le prix des marchandises fournies ou des travaux exécutés.
– Le _______ décrit, à une date déterminée, le patrimoine de l'entreprise.

b. Donnez une définition des deux documents suivants :

– Extrait « K » : _______

– Extrait « K-bis » : _______

c. Écrivez pour un journal d'informations économiques un article présentant les différentes démarches à accomplir pour créer une entreprise en France.

2. Distinguer les différents droits de la personne

Une personne a deux types de droits :
des droits patrimoniaux, qui sont estimables en argent, et des droits extra-patrimoniaux, qui sont attachés à la personne et qui ne sont pas appréciables en argent.

- ***Droits patrimoniaux***

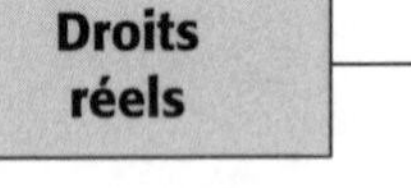

Personne → Chose

Droits qu'une personne exerce sur une chose.
Exemple : droit de propriété qui permet d'utiliser, de louer ou de vendre la chose.
Une chose qui peut être déplacée est un *meuble* (voiture, livre, bijou), au contraire d'un *immeuble*, qui ne peut pas être déplacé (bâtiment, fonds de terre).

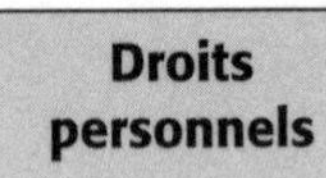

Personne → Personne

Droits qu'une personne a sur une autre personne.
Exemple : droit (de créance) du créancier sur le débiteur.

- ***Droits extra-patrimoniaux***

Droits de la personnalité — Droits qui permettent à chacun de faire respecter tous les éléments de sa personnalité (son corps, son nom, son honneur, etc.).

Droits de la famille — *Exemples :* droit de garde des enfants, droit d'assistance entre époux, droit à l'éducation, etc.

Libertés publiques — Aspects de la liberté qui sont spécialement protégés et aménagés.
Exemples : liberté d'aller et venir, de travailler, de se marier, de voter, de se réunir…

1. Comment dire

Dans la loi, beaucoup de verbes ou d'expressions verbales expriment des droits, ou encore, plus précisément, des pouvoirs, des libertés ainsi que des options, des pouvoirs d'appréciation, des facultés.

Transformez les textes de loi suivants de façon à utiliser le verbe ou l'expression entre parenthèses.

Exemple : **NCPC, art. 40 :** Le juge a le pouvoir d'ordonner d'office les mesures d'instruction… *(pouvoir).*
– Le juge *peut* ordonner d'office…

1. **C. civ., art. 145 :** Il est loisible au procureur de la République d'accorder des dispenses d'âge pour des motifs graves… *(pouvoir).*
2. **C. civ., art. 1198 :** Il est au choix du débiteur de payer l'un ou l'autre des créanciers solidaires… *(avoir la possibilité de).*
3. **C. civ., art. 1594 :** Tous ceux auxquels la loi ne l'interdit pas, peuvent acheter ou vendre… *(avoir droit de).*
4. **C. civ., art. 1717 :** Le preneur a le droit de sous-louer, et même de céder son bail à un autre… *(il est permis).*
5. **C. civ., art. 1905 :** Il est permis de stipuler des intérêts pour simple prêt… *(pouvoir).*
6. **C. travail., art. L.122-3-9 :** La méconnaissance de ces dispositions par le salarié ouvre droit pour l'employeur à des dommages intérêts correspondant au préjudice subi… *(avoir droit à).*

2. Connaître ses droits

Classez les droits exercés dans chacune des situations suivantes en cochant dans le tableau.

	Droits patrimoniaux		Droits extra-patrimoniaux		
	Droits réels	Droits personnels	Droits de la personnalité	Droits de la famille	Libertés publiques
1. Je refuse de subir une opération chirurgicale.	______	______	______	______	______
2. Je vends ma voiture.	______	______	______	______	______
3. Je me présente à une élection municipale.	______	______	______	______	______
4. Je ne veux pas qu'on reproduise ma photographie dans le journal.	______	______	______	______	______
5. J'interdis à mes enfants de jouer dans la rue.	______	______	______	______	______
6. Je vais à la messe tous les dimanches.	______	______	______	______	______
7. Je demande le paiement d'une facture à mon client.	______	______	______	______	______
8. Je fais grève.	______	______	______	______	______

3. Assister à une audience du tribunal

La loi, qui reconnaît des droits aux individus, réprime par ailleurs certains comportements.
Dans le cadre de la procédure pénale comparaissent devant la 23e chambre du tribunal correctionnel de Paris des individus (les prévenus) qui ont commis un flagrant délit (qui ont été pris sur le fait). Les audiences sont ouvertes au public.

Braquage d'un camion avec une mitraillette en plastique

Paul J, 35 ans, français. Aucun antécédent.

La présidente : Quelles étaient vos motivations ?

P. J., très marqué : Je vends sur les marchés. Mes fournisseurs ont refusé de me donner ma marchandise parce que je n'arrivais pas à payer. J'ai voulu me venger. C'est très bête.

La présidente : C'est très grave aussi. Vous auriez pu être déféré en cour d'assises. Vous vous rendez compte de votre faute ?

P. J. : Faut pas m'en vouloir, j'ai des gros problèmes de santé et aussi d'argent, je m'excuse.

La présidente : Vous comptiez faire quoi, du camion ?

P. J. : Je ne sais pas, j'étais fou, une fois dans le camion, je ne savais plus quoi faire. C'est ma colère la responsable.

Condamné à 12 mois dont 11 avec sursis.

40 grammes de cannabis

Philippe L, 31 ans, français. Inconnu à l'identité judiciaire. Arrêté en flagrant délit de « deal » avec deux personnes alors qu'il était en possession de 40 grammes de cannabis (rapport de police).

La juge : Vous étiez en train de vendre de la drogue ?

P. L. : Non, je dépannais deux copains. Je consomme depuis l'âge de 19 ans mais je le jure, je n'ai jamais dealé.

La juge : C'est bien connu, la drogue, on l'offre à ses copains…

P. L. : Je n'ai servi que d'intermédiaire, j'achète en gros, c'est moins cher et on partage à trois. Ce jour-là, c'est moi qui avais acheté pour les autres.

Le procureur : C'est ce qu'on appelle un trafic de stupéfiants. Il ne suffit pas de reconnaître les faits une fois pris la main dans le sac. Regardez la loi, monsieur…

Malgré son casier vierge, son justificatif de logement à Asnières et son travail de chauffeur poids lourds qui l'attendait, P. L. est condamné à 10 mois dont 5 avec sursis.

Situation irrégulière sur le territoire français

Kewa S, 28 ans, congolais.

La présidente : Vous avez été condamné à deux reprises en 1997 pour recel de lunettes d'un montant de 960 euros et pour usage illicite de drogue et infraction à la législation sur les stupéfiants. Le 6 décembre 2006, vous avez été condamné à Dijon à trois ans de prison pour trafic de stupéfiants. Quand êtes-vous sorti de prison ?

K. S. : J'ai pas encore fait de prison.

La présidente : Comment ? Vous n'avez pas purgé vos peines ?

K. S. : Non.

La présidente : Vous ne vous souvenez pas ? Vous étiez à l'audience à Dijon ? Vous comprenez ce que je dis ou vous voulez un interprète ?

K.S. reste bouche bée sans rien dire.

Le substitut : La photographie ne correspond pas. Est-ce sa véritable identité ?

La présidente : Vous êtes vraiment Kewa Siriak ? *(Ambiance surréaliste, dialogue de sourds)*

K. S. : Non, je suis N'Kuma.

La présidente décide de renvoyer le « cas n° 16 » et demande une enquête complémentaire.

Nova Magazine, octobre 95

1. Quels sont les faits reprochés ?

Prenez connaissance des trois affaires relatées ci-contre et complétez le tableau suivant.

	Paul J.	Philippe L.	Kewa S.
Antécédent judiciaire			
Faits reprochés			
Moyens de défense			
Décision du tribunal			

2. Peut-on se faire arrêter en pleine rue ?

Les déclarations ci-dessous émanent de personnes qui ont toutes été arrêtées dans la rue ou dans un lieu public (café, gare, magasin, etc.). Mais ont-elles été arrêtées dans des conditions conformes à la loi ?

Écoutez (ou lisez page 110) l'interview de maître Campion, avocate, puis trouvez un argument pour défendre chacune de ces personnes devant un juge.

3. Analyser le droit de propriété

Le droit de propriété confère à son titulaire, le propriétaire, toutes les prérogatives que l'on peut avoir sur une chose, aussi longtemps que durera cette chose.

Le contenu du droit de propriété

- **Droit d'user**
  Exemple : le propriétaire d'une maison peut habiter cette maison.
- **Droit de percevoir les revenus (fruits)**
  Exemple : le propriétaire d'une maison peut louer cette maison et donc en percevoir des loyers.
- **Droit de disposer**
  Exemple : le propriétaire d'une maison peut vendre cette maison.

Droit d'user + Droit de percevoir les revenus → **Droit d'usufruit**
Exemple : le vendeur d'une maison en viager conserve le droit d'habiter la maison et le droit d'en percevoir les fruits.

Droit de disposer → **Droit de nue-propriété**
Exemple : l'acheteur d'une maison en viager acquiert seulement le droit de vendre la maison.

Les restrictions au droit de propriété

- **Les servitudes légales**
  Une servitude est une charge imposée à un immeuble au profit d'un immeuble voisin.
  Exemples : servitude de ne pas bâtir (c'est-à-dire interdiction de bâtir), afin que la maison voisine ne soit pas privée d'air et de lumière, servitude de passage (c'est-à-dire obligation de laisser le passage) au profit d'un voisin enclavé (enfermé).
- **Les devoirs de bon voisinage**
  Un propriétaire ne doit pas exercer son droit de propriété :
  – de façon abusive : en essayant de nuire à son voisin ;
  – de façon excessive : en causant chez le voisin des inconvénients anormaux.
- **Les impératifs de l'intérêt général**
  Les pouvoirs publics peuvent dans certains cas porter de sérieuses atteintes au droit de propriété.
  Exemples : passage de lignes électriques sur un terrain, expropriations, nationalisations.

1. Comment dire

À l'intérieur même du système juridique, la plupart des termes ont deux ou plusieurs sens distincts.

Le mot «droit», par exemple, peut désigner :
a. un ensemble de règles qui s'imposent à tous (ex. : le droit du travail) ;
b. une prérogative individuelle (ex. : le droit de propriété) ;
c. un impôt (ex. : le droit de mutation).

Indiquez à quelle définition citée ci-dessus se rattache le mot « droit » dans chacun des cas suivants :

1. droit civil
2. droit de passage
3. droit d'enregistrement
4. droit des affaires
5. droit d'usufruit
6. droit coutumier
7. droit de douane
8. droit de créance
9. abus de droit

2. Trouver le passage

Le propriétaire du fonds A (terrain et maison) figurant sur le plan ci-dessous vous demande conseil. Vous consultez pour cela les articles 682 et 683 du Code civil.

Art. 682. Le propriétaire dont les fonds sont enclavés et qui n'a sur la voie publique aucune issue ou qu'une issue insuffisante [...] est fondé à réclamer sur les fonds de ses voisins un passage suffisant pour assurer la desserte complète de ses fonds [...].

Art. 683. Le passage doit régulièrement être pris du côté où le trajet est le plus court du fonds enclavé à la voie publique. Néanmoins il doit être fixé dans l'endroit le moins dommageable à celui du fonds duquel il est accordé.

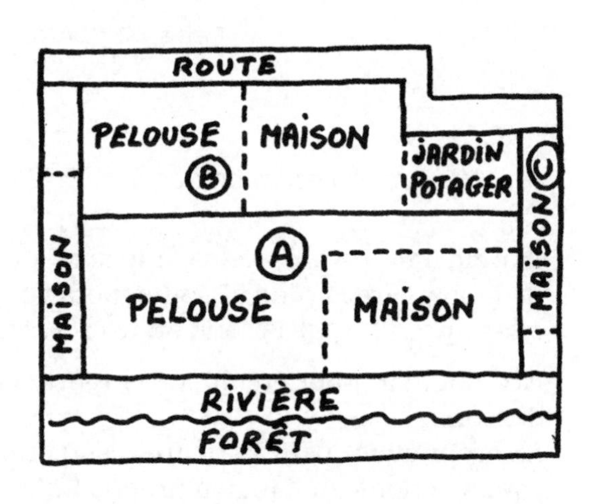

a. **Relevez dans ces articles :**

– l'expression verbale qui exprime un droit : ______________________

– le verbe qui exprime une obligation : ______________________

– les verbes à la voix passive : ______________________

b. **Reformulez *dans un langage courant* les articles 682 et 683.**

c. **Le propriétaire du fonds A peut-il exiger un droit de passage pour accéder à la route ? Pourquoi ? Le cas échéant, où se situerait ce passage ?**

3. Tenir la rubrique juridique

Vous travaillez comme journaliste pour un journal économique grand public. Votre travail consiste à écrire des articles sur des problèmes juridiques et à répondre au courrier des lecteurs

Vous venez précisément de recevoir les deux lettres suivantes.

René LEBLANC
3 rue de la Gare
72220 CHÂTEAU L'HERMITAGE

Madame, Monsieur,

J'ai demandé à Monsieur Travodur de construire une maison sur le terrain que je venais d'acheter. Au cours des travaux, Monsieur Travodur a découvert, enfoui sous terre, un coffre rempli de pièces d'or. À qui appartient ce trésor ? À Monsieur Travodur ? Ou à moi-même ? [...]

René Leblanc

René LEBLANC

Philippe SURCOUF
65 Quai du Port
35110 SAINT-MALO

Madame, Monsieur,

J'étais certain que sous ma maison se cachait un trésor et j'ai demandé à Monsieur Travodur d'effectuer des recherches. J'avais bien raison ! Monsieur Travodur a découvert sous ma cave un coffre rempli de pièces d'or. Mais il prétend maintenant que ce coffre lui appartient. Ce trésor n'est-il pas plutôt à moi ? [...]

Philippe Surcouf

Philippe SURCOUF

Vous consultez les articles 544, 552 et 716 du Code civil.

Article 544. La propriété est le droit de jouir et disposer des choses de la manière la plus absolue, pourvu qu'on n'en fasse pas un usage prohibé par les lois ou les règlements.

Art. 552. La propriété du sol emporte la propriété du dessus et du dessous.
Le propriétaire peut faire au-dessus toutes les plantations et constructions qu'il juge à propos [...].
Il peut faire au-dessous toutes les constructions et fouilles qu'il jugera à propos, et tirer de ces fouilles tous les produits qu'elles peuvent fournir [...].

Art. 716. La propriété d'un trésor appartient à celui qui le trouve dans son propre fonds : si le trésor est trouvé dans le fonds d'autrui, il appartient pour moitié à celui qui l'a découvert, et pour l'autre moitié au propriétaire du fonds.
Le trésor est toute chose cachée ou enfouie sur laquelle personne ne peut justifier sa propriété, et qui est découverte par le pur effet du hasard.

1. Consulter la loi

1. Complétez les phrases ci-dessous à l'aide des numéros ou mots suivants :
544, 552, 716, alinéa, conséquences, définition, restriction.

a. L'article _______ pose un principe et en tire les _______ dans ses alinéas 1 et 2.

b. L'article _______ pose un principe et apporte une _______ à ce principe.

c. L'article _______, dans son alinéa 1, pose une règle et, dans son _______ 2, donne une _______ .

2. Retrouvez dans les articles 544, 552 et 716 du Code civil les mots ou expressions qui signifient :

a. profiter : _______________

b. totale : _______________

c. à condition que : _______________

d. interdit : _______________

e. entraîne : _______________

f. convenable : _______________

g. procurer : _______________

h. un autre : _______________

i. enterrée : _______________

j. prouver : _______________

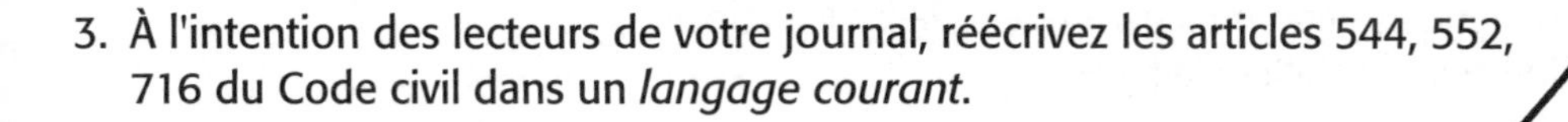

3. À l'intention des lecteurs de votre journal, réécrivez les articles 544, 552, 716 du Code civil dans un *langage courant*.

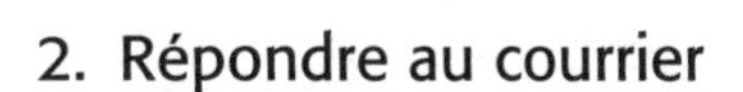

2. Répondre au courrier

Répondez aux lettres de Messieurs Leblanc et Surcouf. Leur demande et votre réponse seront publiées dans le journal.

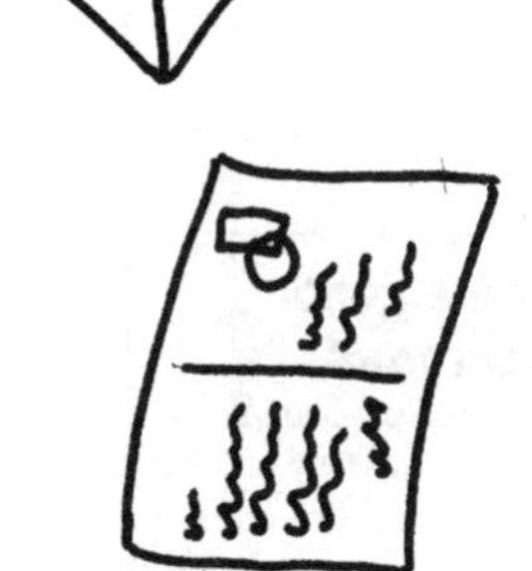

3. Écrire un article

La privatisation, qui consiste pour l'État à transférer au privé la propriété de son capital, est un sujet très actuel.

Votre journal a ainsi reçu un important courrier de lecteurs qui s'interrogent sur la privatisation des entreprises publiques. À quoi servent les privatisations ? Comment se déroulent-elles ? A-t-on intérêt à acheter des actions d'entreprises que l'État privatise ? Il vous est demandé d'écrire un article sur ce sujet.

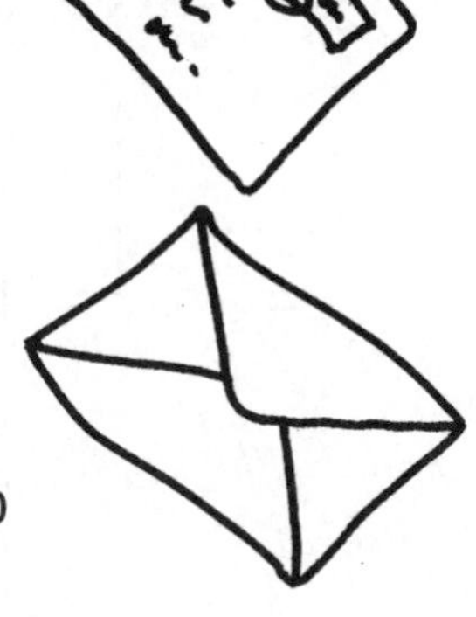

L'un de vos collègues journalistes a interrogé un juriste, spécialisé dans le droit des privatisations. L'interview a été enregistrée.

Écoutez (ou lisez page 111) cette interview et écrivez un article d'environ 350 mots à l'attention de vos lecteurs.

4. Analyser la composition d'un fonds de commerce

Le fonds de commerce est l'affaire que le commerçant exploite. Il est constitué :
- *de* biens corporels, *qui sont des choses matérielles, que l'on peut toucher ;*
- *de* biens incorporels, *qui n'ont pas de matérialité, que l'on ne peut pas toucher et qui sont, en fait, des droits.*

Les éléments corporels

Le matériel
Ce sont des biens qui servent à l'exploitation du fonds (le capital fixe).

Les marchandises
Ce sont les stocks : produits prêts à la vente, matières premières, produits semi-finis (le capital circulant).

Les éléments incorporels

La clientèle
C'est l'élément essentiel : sans clientèle, il n'y a pas de fonds de commerce. La valeur de la clientèle est fonction du chiffre d'affaires.

Le nom commercial
C'est le nom sous lequel est exercé le commerce.

L'enseigne
C'est un signe (*dessin* ou *appellation*) servant à indiquer la nature du commerce et à personnaliser l'établissement.

Le droit au bail
- ***Le droit de renouvellement de bail :*** le commerçant, qui exerce son commerce dans un local loué, peut, à l'expiration du contrat de bail (contrat de location), demander le renouvellement de ce bail au propriétaire. En principe, ce dernier ne peut pas refuser.
- ***Le droit de cession de bail :*** le commerçant locataire, qui vend son fonds de commerce, peut céder son bail à un autre commerçant, sans l'accord du propriétaire du local.

Les droits de propriété industrielle
La propriété industrielle confère au commerçant un monopole d'exploitation des *brevets d'invention*, *dessins* et *modèles*, *marques de fabrique* qui ont été déposés à l'INPI (Institut national de la propriété industrielle).

1. Comment dire

Le vocabulaire juridique contient de nombreux **mots composés** *qui ont en eux-mêmes un sens spécifique, différent des mots qui les composent.*

Formez des mots composés en associant les mots de la colonne A à ceux de la colonne B.

A		B
1. Belle-	*e*	a. en nature
2. Attentat	_____	b. industrielle
3. Avantage	_____	c. à la pudeur
4. Fonds	_____	d. d'affaires
5. Entrée	_____	e. mère
6. Chiffre	_____	f. en vigueur
7. Contrat	_____	g. en demeure
8. Propriété	_____	h. de bail
9. Droit	_____	i. au bail
10. Mise	_____	j. de commerce

2. Découvrir l'essentiel

a. Complétez le texte ci-dessous à l'aide des mots suivants :
fonds de commerce, clientèle, nom, droit au bail, conservation, clients, brevet, matériel, corporelle, incorporelle, possède, posséder.

Les éléments du fonds de commerce sont les uns de nature **(1)**_______ : le **(2)**_______, les marchandises ; les autres, de nature **(3)**_______ : le **(4)**_______ et l'enseigne, le droit au bail, le **(5)**_______, la marque. Beaucoup pensent que la **(6)**_______ est un élément du fonds de commerce et que c'en est même l'élément essentiel. Cette analyse est très critiquable.
En effet, on ne peut pas, à proprement parler, **(7)**_______ une clientèle. Le commerçant peut à tout moment perdre ses **(8)**_______, car ceux-ci ont toujours la possibilité d'acheter ailleurs. En fait, ce que **(9)**_______ le commerçant, ce sont des éléments qui lui permettent de maintenir, de développer, de céder sa clientèle.
Il est impossible de déterminer de façon générale quel est l'élément essentiel du fonds de commerce. Tout dépend du genre de commerce. Dans chaque cas, il faut découvrir quel est l'élément déterminant pour la **(10)**_______ de la clientèle. Par exemple, le **(11)**_______ peut être l'élément essentiel pour un magasin ayant une clientèle de quartier. Vendre cet élément revient à vendre le **(12)**_______ tout entier.

b. Indiquez le (les) élément(s) essentiel(s) du fonds de commerce des entreprises suivantes :

– Coca-Cola – un petit fabricant de meubles – un café sur les Champs-Élysées

– IBM – une entreprise pharmaceutique – Cartier

3. Protéger la propriété industrielle

Les droits de propriété industrielle font partie du fonds de commerce et sont protégés par une loi, qui est intégrée au Code de commerce. Voici ci-dessous quelques dispositions de cette loi.

PROPRIÉTÉ INDUSTRIELLE

II – BREVETS D'INVENTION

Art. L. 611-1. Toute invention peut faire l'objet d'un titre de propriété industrielle délivré par le directeur de l'Institut national de la propriété industrielle qui confère à son titulaire ou à ses ayants cause un droit exclusif d'exploitation.

Art. L. 611-2. Les titres de propriété industrielle protégeant les inventions sont :
1. Les brevets d'invention, délivrés pour une durée de vingt ans à compter du dépôt de la demande ;
2. Les certificats d'utilité, délivrés pour une durée de six ans à compter du jour du dépôt de la demande.

Art. L. 611-10. Sont brevetables les inventions nouvelles impliquant une activité inventive et susceptibles d'application industrielle.

Art. L. 613-8. Les droits attachés à une demande de brevet ou à un brevet sont transmissibles en totalité ou en partie.
Ils peuvent faire l'objet, en totalité ou en partie, d'une concession de licence d'exploitation, exclusive ou non exclusive.

Art. L. 613-9. Tous les actes transmettant ou modifiant les droits attachés à une demande de brevet ou à un brevet doivent, pour être opposables aux tiers, être inscrits sur un registre, dit registre national des brevets, tenu par l'Institut national de la propriété industrielle.

Art. L. 615-1. Toute atteinte portée aux droits du propriétaire du brevet [...] constitue une contrefaçon.
La contrefaçon engage la responsabilité civile de son auteur.

Art. L. 615-19. Les actions en contrefaçon de brevet sont de la compétence exclusive du tribunal de grande instance.

V – DESSINS ET MODÈLES

Art. L. 511-2. La propriété d'un dessin ou modèle appartient à celui qui l'a créé ou à ses ayants droit ; mais le premier déposant dudit dessin ou modèle est présumé, jusqu'à preuve contraire, en être le créateur.

Art. L. 513-1. La durée de la protection prévue par le présent livre est de vingt-cinq ans à compter de la date de dépôt.
Elle peut être prorogée pour une période supplémentaire de vingt-cinq ans sur déclaration du titulaire.

VII – MARQUES DE FABRIQUE, DE COMMERCE OU DE SERVICE

Art. L. 711-1. La marque de fabrique, de commerce ou de service est un signe susceptible de représentation graphique servant à distinguer les produits ou services d'une personne physique ou morale.

Art. L. 711-3. Ne peut être adopté comme marque ou élément de marque un signe [...] de nature à tromper le public, notamment sur la nature, la qualité ou la provenance géographique du produit ou du service.

Art. L. 712-1. La propriété de la marque s'acquiert par l'enregistrement.
L'enregistrement produit ses effets à compter de la date de dépôt de la demande pour une période de dix ans indéfiniment renouvelable.

1. Consulter la loi

a. Le texte ci-dessous explique sommairement la protection des brevets d'invention. À l'aide des articles de la loi reproduits ci-contre, complétez ce texte.

Pour protéger l'inventeur, la loi lui octroie un titre, **(1)**_______ par l'INPI. Ce **(2)**_______ de **(3)**_______ industrielle confère à l'inventeur un droit **(4)**_______ d'exploitation. Afin de protéger l'intérêt public, ce droit n'est valable que pour une période déterminée : **(5)**_______ ans pour les brevets et **(6)**_______ pour les certificats d'utilité. Il peut être **(7)**_______ en totalité ou en partie. Les **(8)**_______ de cession sont **(9)**_______ aux **(10)**_______ à la condition d'avoir été publiés au **(11)**_______ national des **(12)**_______ tenu par l'**(13)**_______ .
La loi protège le breveté contre les **(14)**_______ . Il est en effet interdit aux tiers d'exploiter l'**(15)**_______ brevetée. Toute atteinte au droit d'exploitation peut **(16)**_______ la responsabilité **(17)**_______ et pénale de son auteur. Le **(18)**_______ est seul **(19)**_______ pour connaître des **(20)**_______ en contrefaçon.

b. Indiquez, en vous appuyant sur les articles de loi ci-contre, si les affirmations suivantes sont vraies ou fausses.

	Vrai	Faux
1. On peut hériter d'un droit de propriété industrielle.	☐	☐
2. Pour être brevetable, il suffit que l'invention soit nouvelle.	☐	☐
3. Une invention brevetée peut être exploitée par plusieurs personnes en même temps.	☐	☐
4. Celui qui le premier dépose un dessin à l'INPI en devient, de manière incontestable, le propriétaire.	☐	☐
5. Un dessin peut être protégé pendant 50 ans au maximum.	☐	☐
6. Une marque peut être protégée pendant 10 ans au maximum.	☐	☐

c. À votre avis, les signes suivants sont-ils des marques, au sens de l'article L. 711-1 ?

	Oui	Non		Oui	Non
1. une phrase musicale	☐	☐	4. un sigle	☐	☐
2. un assemblage de mots	☐	☐	5. une étiquette	☐	☐
3. une forme d'emballage	☐	☐	6. un logo	☐	☐

2. Faire un rapport

Vous êtes le responsable juridique de la société Bonmiel, une entreprise de petite taille (28 salariés), installée à Priziac (Morbihan), qui commercialise du miel et des produits à base de miel. L'entreprise va bientôt lancer, en France d'abord, puis – espère-t-on – dans divers pays de l'Union européenne, un nouveau produit : il s'agit de biscuits au miel.
Chacun, dans l'entreprise, doit proposer un nom de marque pour ce produit. La directrice de l'entreprise elle-même, Mme Petibon, suggère « Biscuit Zaumiel ». Mais avant de prendre une décision, Mme Petibon souhaiterait mieux connaître les aspects juridiques de cette question : comment protéger une marque, comment trouver un nom, quelles sont les précautions à prendre, etc. Elle vous a demandé un rapport à ce sujet.

Écoutez (ou lisez page 111), en prenant des notes, un extrait de la conférence de Mme Catherine Leblanc, conseiller technique à l'INPI, puis, à l'aide de vos notes et des textes de loi ci-contre, rédigez un rapport à l'intention de Mme Petibon.

Tester ses connaissances

I. Faire le bon choix

Complétez les phrases suivantes en entourant la bonne réponse.

1. Chacun … au respect de sa vie privée.
   a. peut
   b. a droit
   c. est permis
   d. a la possibilité

2. Est français l'enfant … l'un des parents au moins est français.
   a. que – b. qui – c. dont – d. où

3. La marque ne peut être contraire … à l'ordre public … aux bonnes mœurs.
   a. ni… ni…
   b. soit… soit…
   c. ou… ou…
   d. non seulement… mais aussi

4. Il est poursuivi … contrefaçon de marque.
   a. en raison de
   b. pour
   c. par
   d. à cause de

5. Le fonds de commerce existe à partir du moment où le commerçant a … une clientèle.
   a. acquiert
   b. acquéri
   c. acquitté
   d. acquis

6. Quand il a créé cette entreprise, il n'… que 19 ans.
   a. avait
   b. était
   c. avait été
   d. aura eu

7. Il faudrait vérifier que ce terrain … libre de servitude.
   a. soit – b. est – c. était – d. ait

8. Le domicile d'une société est, en principe, le … fixé par les statuts.
   a. bâtiment central
   b. bail commercial
   c. siège social
   d. local professionnel

9. Pierre a pris l'initiative de créer une … pour venir en aide aux pauvres.
   a. société
   b. administration
   c. association
   d. entreprise

10. Il est couvert de dettes ; tous ses … le poursuivent en justice.
    a. débiteurs
    b. créanciers
    c. emprunteurs
    d. bénéficiaires

11. Il a été condamné à trois ans de prison …
    a. en flagrant délit
    b. par la loi pénale
    c. avec sursis
    d. par le tribunal administratif

12. Cette entreprise a triplé son … d'affaires en un an.
    a. titre
    b. numéro
    c. chiffre
    d. taux

13. … de cette société montre qu'elle est fortement endettée.
    a. La facture
    b. Le capital
    c. Le résultat
    d. Le bilan

14. Son … est brevetable.
    a. invention
    b. dessin
    c. modèle
    d. brevet

II. Chasser l'intrus

Dans chaque série de mots ou expressions suivants, barrez les deux intrus.

1. droit commercial – droit fiscal – droit public – droit civil – droit exclusif – droit absolu – droit administratif – droit constitutionnel – droit pénal – droit privé.
2. droit de propriété – droit de créance – droit d'usufruit – droit de la personnalité – droit de garde – droit personnel – droit réel – droit des affaires – droit du travail.
3. société – gérant – association – syndicat – État – administration publique – établissement public – avocat – ordre professionnel.
4. raison sociale – prénom – forme juridique – objet – siège social – capital – date d'immatriculation – profession.
5. délit – matériel – marchandise – infraction – clientèle – enseigne – droit au bail – brevet – marque.

III. Faire des phrases

A. Réécrivez les phrases en mettant les mots ou expressions suivants dans l'ordre, en commençant par le(s) premier(s) mot(s) proposé(s).

1. La disparition – causer – aux – graves – créanciers – du fonds – de – préjudices – peut – de commerce.
2. Le fonds de commerce – qui – commerçant – entreprise – est – permettent – au – un ensemble – son – mobiliers – de biens – d'exploiter.
3. Aucun citoyen – son – ne – peut – de – exprimé – acte de naissance – autre – dans – porter – celui – que – nom.
4. Il faut – un certain – créer – accomplir – une entreprise – pour – de – formalités – nombre.
5. Elle a été – pendant quatre heures – à vue – manifeste – placée – pour ivresse – en garde – en pleine rue – et – arrêtée.

B. Composez une phrase en utilisant les mots suivants dans l'ordre donné et en ajoutant les mots manquants. Mettez les verbes donnés ici à l'infinitif à des modes et temps qui conviennent.

1. D'après le registre – état civil – Gustave Eiffel – naître – Dijon – 1832 – mourir – Paris – 1933.
2. Le commerçant – recevoir – registre du commerce – numéro – permettre – identifier – entreprise.
3. On devient propriétaire – marque – enregistrement – Institut – propriété industrielle.
4. Il – condamner – peine de prison – 2 ans – 1 an avec sursis – amende – 600 €.
5. Abuse – droit de propriété – celui qui – porter préjudice – son voisin – intention – nuire.

4 Les obligations

1. Distinguer les différentes obligations

Les personnes juridiques n'ont pas seulement des droits. Elles ont aussi des obligations.

La source des obligations

- **Obligations légales**
  La loi fait naître des obligations légales.
  Exemple : obligation de payer des impôts.
- **Obligations contractuelles**
  Le contrat fait naître des obligations contractuelles.
  Exemple : dans le contrat de vente, l'acheteur a l'obligation de payer le prix.
- **Obligations délictuelles ou quasi délictuelles**
  Le délit et le quasi-délit font naître des obligations délictuelles et quasi délictuelles. Le délit est la faute intentionnelle. Le quasi-délit est la faute non intentionnelle. Que la faute soit ou non intentionnelle, une personne qui cause à une autre personne un dommage a l'obligation de le réparer.

Le contenu des obligations

- **Obligation de faire**
  Exemple : obligation de travailler pour le salarié.
- **Obligation de ne pas faire**
  Exemple : obligation de ne pas bâtir sur le terrain du voisin.
- **Obligation de donner**
  Exemple : obligation de livrer pour le vendeur.

L'objet des obligations

- **Obligation de moyens**
  On promet à l'autre, non pas d'arriver à un résultat, mais seulement d'utiliser tous les moyens possibles pour y arriver.
  Exemple : un médecin promet à son malade de le soigner (et non pas de le guérir).
- **Obligation de résultat**
  On promet d'atteindre un certain résultat.
  Exemple : obligation du transporteur de livrer telle marchandise.

1. Comment dire

Pour marquer le caractère obligatoire de la loi, il existe un certain nombre de verbes, peu nombreux mais fréquemment utilisés, qui expriment l'obligation.

Transformez les textes de loi suivants de façon à utiliser le verbe ou l'expression entre parenthèses.

Exemple : **C. civ., art. 5 :** Il est défendu aux juges de prononcer par voie de dispositions générales… *[(ne) pouvoir]*.
– Les juges *ne peuvent pas* prononcer par voie de dispositions générales…

1. **C. civ., art. 215 :** Les époux s'obligent mutuellement à une communauté de vie *(être tenu à)*.
2. **C. civ., art. 901 :** Pour faire une donation entre vifs ou un testament, il faut être sain d'esprit *(devoir)*.
3. **C. civ., art. 1129 :** Il faut que l'obligation ait pour objet une chose au moins déterminée quant à son espèce *(devoir)*.
4. **C. com., art.102 :** La lettre de voiture doit être datée *(il faut)*.
5. **L. 2 août 1989, art. 24 :** Il est interdit aux personnes mentionnées à l'article 23 de recevoir de leurs clients des dépôts de fonds… *[(ne)pouvoir]*.

2. Connaître ses obligations

Classez les obligations ci-dessous en cochant dans la bonne case.

Vous devez :	Obligation légale	Obligation contractuelle	Obligation délictuelle
1. payer votre loyer	☐	☐	☐
2. indemniser celui que vous avez calomnié	☐	☐	☐
3. payer vos impôts	☐	☐	☐
4. payer votre billet de train	☐	☐	☐

FACTURE EDF

LOYER

IMPÔTS

Indiquez si les obligations décrites ci-dessous sont des obligations de moyens ou des obligations de résultat.

	Obligation de… moyens	Obligation de… résultat
5. Le gardien doit veiller à ce que les voleurs n'entrent pas.	☐	☐
6. La loi oblige chacun d'entre nous à porter secours à toute personne en danger.	☐	☐
7. Un commerçant, en vendant son fonds de commerce, s'est engagé auprès de l'acheteur à ne pas ouvrir un commerce concurrent dans la même ville.	☐	☐
8. Selon l'article 678 du Code civil, il n'est pas permis d'ouvrir une fenêtre qui donne sur un terrain à moins de respecter une distance minimale de 1,90 mètre.	☐	☐

3. Définir une obligation de ponctualité

Des usagers de la SNCF (Société nationale des chemins de fer français), victimes de retards de trains, demandent réparation à la SNCF. Déboutés en première instance au motif qu'ils ne rapportent pas la preuve de leur préjudice, ils font appel. Voici ci-dessous l'arrêt de la cour d'appel.

RESPONSABILITÉ CIVILE
Responsabilité contractuelle. SNCF.
Obligation de ponctualité. Trains de banlieue. Usagers. Préjudice.

CA Paris, 1re ch. B, 4 oct. 2006 ; Lochon, Dauvergne, Gruber c/ SNCF

LA COUR :
Considérant que la SNCF reconnaît avoir pour obligation contractuelle d'amener les voyageurs à destination selon l'horaire prévu, cet impératif de ponctualité figurant à son cahier des charges ;

Que si seuls les titres de transport délivrés pour les trains de grande ligne comportent la mention de l'heure d'arrivée, les trains de banlieue n'en sont pas moins tenus de respecter les horaires affichés et diffusés à la clientèle ;

Or considérant que les requérants établissent par la production d'attestations émanant de la SNCF qu'alors que, selon les horaires diffusés, le trajet séparant les gares de La Verrière et de Paris-Montparnasse varie selon le nombre de gares desservies entre 31 et 44 minutes, des retards de 15 à 50 minutes ont été enregistrés sur ce trajet durant onze jours entre le 15 novembre et le 6 décembre 2003 ;

Considérant que pour tenter de les justifier, la SNCF expose dans ses conclusions : – que les retards constatés les 15 novembre et 1er décembre avaient pour cause la nécessité de porter secours à un voyageur, – que les retards des 25 novembre et 6 décembre découlaient d'acte de malveillance « sous la forme de déclenchements abusifs de signaux d'alarme », – que les retards des 16 et 30 novembre étaient liés aux intempéries ;

Mais considérant que si la SNCF peut à juste titre souligner l'importance du trafic des trains de banlieue et donner avec raison la priorité à son obligation de sécurité sur celle de ponctualité, elle dénonce elle-même, dans une note du 19 janvier 2005 diffusée aux responsables des réseaux de banlieue Sud-Ouest dont fait partie le trajet litigieux, ces « trop fréquents retards », en ajoutant : « Notre situation est d'autant moins justifiable que la plus grande partie des retards est générée par des fautes ou des négligences de notre personnel » :

Considérant que les retards ainsi reconnus ont nécessairement causé aux usagers un préjudice ;

Considérant toutefois que Mme Lochon, M. Dauvergne et M. Gruber ne justifient que du désagrément d'avoir dû prolonger leurs journées de travail pour compenser leurs retards du matin au cours de la période litigieuse, sans faire état de conséquences plus graves découlant de ces retards, de sorte qu'une indemnité de 50 € pour chacun d'entre eux apparaît suffisante à réparer ce préjudice ;

PAR CES MOTIFS :
Annule le jugement déféré et condamne la SNCF à payer à Mme Lochon, à M. Dauvergne et à M. Gruber la somme de 50 € à titre de dommages-intérêts [...].

1. Les pièces du dossier

Indiquez dans quels documents, cités dans l'arrêt ci-contre, se trouvent :

a. les conditions posées par l'administration à la SNCF pour assurer le service public (transport ferroviaire) dont elle a la charge. ____________

b. le nom des gares – et parfois l'indication de l'heure – de départ et d'arrivée des trains. ____________

c. les déclarations émanant d'un témoin, voire de l'une des parties au procès, et servant de preuve. ____________

d. les demandes et arguments respectifs des parties. ____________

2. La plaidoirie des avocats

Dans leur plaidoirie les avocats reprennent, en les développant, des arguments déjà mentionnés dans leurs conclusions écrites.

a. Écoutez (ou lisez page 111) un passage de la plaidoirie de maître Isabelle Campion, avocate des trois usagers de la SNCF, et complétez le texte ci-dessous, extrait de ses conclusions écrites.

L'obligation de **(1)** _______ de la SNCF découle de deux documents **(2)** _______ :
– Elle se trouve en premier lieu inscrite dans le **(3)** _______ . L'article **(4)** _______ de ce document prévoit en effet que la SNCF, entreprise **(5)** _______, doit « exploiter les services ferroviaires sur le réseau dans les meilleures conditions de sécurité, d'accessibilité, de **(6)** _______ et de **(7)** _______ ».
– Cette obligation découle en second **(8)** _______ du **(9)** _______ lui-même. En effet, la SNCF distribue sur l'ensemble de son **(10)** _______ des **(11)** _______ horaires annonçant les heures précises de départ et d'**(12)** _______ des trains. En outre, la SNCF s'est clairement **(13)** *e*_______ en faisant de « l'horaire garanti » son premier argument **(14)** *p*_______ . En achetant son **(15)** _______, le voyageur peut donc attendre du **(16)** *t*_______ qu'il l'amène à destination non seulement **(17)** *s*_______, mais aussi à l'heure **(18)** _______ .
Il existe donc bien, à côté de l'obligation de **(19)** _______, une obligation de ponctualité à la **(20)** _______ de la SNCF.

b. Écoutez (ou lisez page 112) un court extrait de la plaidoirie de l'avocat de la SNCF, répondant au premier argument de maître Campion, portant sur le cahier des charges, puis écrivez :

- le texte des conclusions correspondant à ce passage de la plaidoirie ;
- une réponse, que vous devez trouver vous-même, au second argument de maître Campion, portant sur le contrat de transport.

c. Si vous êtes en groupe, choisissez deux d'entre vous pour interpréter l'un, le rôle de l'avocat des demandeurs, et l'autre, le rôle de l'avocat de la SNCF.

3. La décision des juges

Analysez l'arrêt ci-contre à l'aide de la fiche d'analyse de la page 29.

2. Analyser la formation du contrat

Un contrat est un accord de volontés faisant naître des obligations. Pour qu'un contrat soit valable en droit français, certaines conditions sont requises. Si l'une de ces conditions fait défaut, alors qu'elle a été déterminante dans la formation du contrat, le contrat est nul, ce qui veut dire qu'il est censé n'avoir jamais existé.

Le consentement des parties

L'existence du consentement
Le contrat est formé dès que se rencontrent deux ou plusieurs *manifestations de volonté*. Il faut donc *une offre* («Je te vends telle chose à tel prix») et *une acceptation* («C'est d'accord, j'achète»). Cette offre et cette acceptation peuvent être écrites, verbales ou simplement gestuelles.

La qualité du consentement
Ce consentement doit être intègre, c'est-à-dire non vicié. Trois *vices* peuvent porter atteinte au consentement.
- *L'erreur*.
  Exemple : le tableau de Van Gogh que vous venez d'acheter est un faux.
- *Le dol*, c'est-à-dire, la tromperie.
  Exemple : vous avez acheté un produit sur la foi d'une publicité mensongère.
- *La violence*.
  Exemple : vous avez accepté de vendre votre bicyclette sous la menace d'un pistolet.

La capacité des parties

Les parties doivent être capables. *Exemple :* un enfant ne peut pas passer seul un contrat car il est juridiquement incapable.

L'objet du contrat

L'obligation de chaque partie doit avoir un objet. L'objet, c'est la prestation promise (ce sur quoi porte le contrat). *Exemple :* la chose (vendue) pour le vendeur, le prix (dû) pour l'acheteur.
- *L'objet doit exister.*
- *L'objet doit être personnel :* on ne peut pas s'engager pour un autre.
- *L'objet doit être déterminé.*
  Exemple : le viticulteur ne doit pas seulement s'engager à vendre «du vin», mais encore à vendre telle qualité et telle quantité de vin.
- *L'objet doit être licite.*
  Exemple : vous ne pouvez pas vous engager à assassiner quelqu'un.

La cause du contrat

La cause, c'est la raison pour laquelle on conclut un contrat, c'est le mobile de chacune des parties.
- *La cause doit exister.*
- *La cause doit être licite.*
  Exemple : louer une maison pour y fabriquer des billets de banque est illicite.

1. Comment dire

Le juriste est souvent amené à ***argumenter****. Ainsi en est-il de l'avocat qui défend son client ou qui négocie un contrat. Il doit en particulier savoir* ***présenter une objection****, la technique consistant alors à concéder dans un premier temps et à opposer un contre-argument dans un second temps.*
Exemple : ***il est vrai que*** *le prix est élevé,* ***mais*** *c'est un produit d'excellente qualité.*

Classez les expressions suivantes selon qu'elles permettent de concéder ou selon qu'elles permettent d'opposer : *certes, il est certain que, je ne nie pas le fait que, cela dit, il faut tout de même dire que, bien sûr, je veux bien, c'est incontestable, il est possible que, cependant, admettons que, je l'admets volontiers, je crois néanmoins que, il ne fait pas de doute que, c'est exact, il me semble pourtant que, je vous l'accorde, effectivement, n'empêche que, tout à fait d'accord avec vous, je n'ignore pas que.*

Concéder	Opposer
il est vrai que,	*mais,*
______________	______________
______________	______________
______________	______________
______________	______________
______________	______________
______________	______________
______________	______________
______________	______________

2. Annuler un contrat

Indiquez la cause de nullité des contrats qui ont été passés dans chacune des situations ci-dessous.

1. Nicolas, 10 ans, achète une bicyclette dans un magasin de cycles.
2. Quand Michel a acheté la voiture de son voisin, ce dernier lui a dit : « Vous me paierez ce que vous voudrez. »
3. François s'engage à travailler gratuitement.
4. M. Marcel a passé un contrat d'assurance-vie, en dissimulant son âge véritable.
5. Les frères Duraille louent un local pour y fabriquer de faux billets.
6. Pour éviter les droits de succession, M. Lebon vend à sa fille un terrain au dixième de sa valeur.
7. Pierre signe une reconnaissance de dette sous la pression d'un chantage.

Causes de nullité
____
____
____
____
____
____
____

3. Négocier un contrat

M. et Mme Bernadin habitent Paris. Ils souhaitent vendre un appartement de 50 m² qu'ils possèdent à Trégastel, une station balnéaire, dans le nord de la Bretagne. L'appartement est situé au premier étage d'un petit immeuble de cinq étages.

M. et Mme Bernadin ont passé une annonce dans un journal parisien, proposant l'appartement au prix de 100 000 euros. À la suite de cette annonce, ils ont reçu un coup de téléphone de M. Richard, qui semblait intéressé.

Rendez-vous a été pris un samedi après-midi à Trégastel.
M. et Mme Bernadin font visiter l'appartement à M. Richard, qui est venu accompagné de sa femme, puis tout le monde se retrouve au café du coin, où a lieu la négociation.

Vous êtes seul :

Prenez connaissance (à la page suivante) des consignes pour l'acheteur et pour le vendeur. Choisissez l'un des rôles et établissez une fiche définissant votre stratégie pour la négociation. Quelles sont, d'après vous, les erreurs à éviter ?

Vous êtes en groupe :

Dans ce cas, deux équipes de deux personnes reçoivent, l'une à l'écart de l'autre, des informations confidentielles. Chaque équipe est chargée de préparer, pendant dix minutes, l'une le rôle de l'acheteur, l'autre celui du vendeur.
Pendant le temps de préparation, le reste du groupe prend connaissance des consignes de l'acheteur et du vendeur, puis réfléchit, du point de vue de l'une et de l'autre partie, à la meilleure stratégie à adopter. Le groupe assiste ensuite, en tant qu'observateur, au jeu de rôles.

M. et Mme Richard

- *Consignes pour les acheteurs*

Vous venez d'hériter de 120 000 € et vous désirez placer la majeure partie de cette somme dans un appartement à la mer. Vous pensez ensuite louer cet appartement. Vous avez toujours pensé que la pierre était un bon placement.

L'appartement des Bernadin, que vous venez de visiter, vous plaît. Certes, il est exposé au nord, donc moyennement bien éclairé, et il donne sur une caserne de pompiers. Mais tout cela n'a pas d'importance car ce n'est pas vous qui l'habiterez. Vous aimeriez conclure l'affaire immédiatement, ce qui vous éviterait de consacrer vos prochains week-ends à de nouvelles recherches.

Comme vous devez meubler l'appartement, vous seriez prêts à racheter les meubles en chêne qui s'y trouvent déjà et que vous estimez à environ 1 500 €. Si l'acheteur n'est pas disposé à les vendre, vous en chercherez d'autres dans la région.

M. et Mme Bernadin

- *Consignes pour les vendeurs*

Vous êtes monsieur et madame Bernadin. Vous avez décidé de vendre cet appartement car il est trop petit pour vos besoins. Vous voulez passer vos vacances d'été dans un endroit plus spacieux. Vous avez d'ailleurs en vue un appartement, plus grand, en vente à Trégastel. Mais il vous faut d'abord vendre le vôtre et vous souhaiteriez donc conclure l'affaire immédiatement.

Vous proposez un prix de 100 000 €, mais vous vous attendez à ce que les acheteurs fassent baisser le prix. Cet appartement présente en effet de nombreux défauts : il est exposé au nord, donc mal éclairé, et il donne sur une caserne de pompiers. Cela dit, vous ne vendrez pas à moins de 85 000 €.

Vous souhaitez également vendre les meubles, tout en chêne, qui ont été faits sur mesure et qui conviendraient moins bien dans l'appartement que vous envisagez d'acheter. Vous estimez ce mobilier à 5 000 €. Néanmoins, vous n'avez pas voulu vendre l'appartement « meublé » car, proposé à 105 000 €, il aurait été invendable.

3. Examiner les principaux contrats

Travailler, louer une maison, acheter une voiture, emprunter à la banque, prendre le train, autant d'actes de la vie courante qui se traduisent par la formation d'un contrat.

Contrat de vente — Une personne, *le vendeur*, s'oblige à livrer une chose à une autre personne, *l'acheteur*, qui s'engage à lui en payer le prix et à en prendre livraison.

Contrat de bail — Une personne, *le bailleur*, donne l'usage d'une chose à une autre personne, *le locataire* (ou *preneur*), moyennant une rémunération appelée *loyer*.

Contrat de transport — Une personne, *le transporteur* (ou *voiturier*), s'engage envers une autre personne à la transporter ou à transporter une marchandise d'un lieu à un autre, dans un certain délai et moyennant un certain prix.

Contrat de prêt — Une personne, *le prêteur*, remet une chose à une autre personne, *l'emprunteur*, ce dernier s'engageant à restituer cette chose à une date convenue.

Contrat de donation — Une personne, *le donateur*, transfère sans contrepartie (gratuitement) la propriété d'un bien à une autre personne, *le donataire*, qui l'accepte.

Contrat de société — Deux ou plusieurs personnes, *les associés*, décident de mettre quelque chose en commun et de partager les bénéfices ou les pertes qui pourront en résulter.

Contrat de travail — Une personne, *le salarié*, s'engage à travailler pour le compte et sous la direction d'une autre personne, *l'employeur*, en contrepartie d'une rémunération appelée salaire.

Contrat d'entreprise — Un *travailleur indépendant* s'engage, moyennant une rémunération, à exécuter un travail au profit d'une autre personne, son *client*.

Contrat d'assurance — Moyennant le paiement d'une prime (ou cotisation), une personne, *l'assureur*, s'engage envers *le souscripteur* (le signataire du contrat) à verser une indemnité à une autre personne, *l'assuré* (ou du moins *le bénéficiaire* désigné par ce dernier), dans l'hypothèse où se réaliserait un événement (accident, décès), appelé *risque*.

1. Comment dire

Les acteurs du droit sont souvent désignés par des noms terminés par « -eur » ou par « -aire ». Les ***terminaisons en « -eur »*** *désignent plutôt les acteurs qui ont un rôle actif, qui détiennent une certaine initiative. Les* ***terminaisons en « -aire »*** *concernent davantage les acteurs qui jouent un rôle passif, qui reçoivent un profit ou qui détiennent un droit, une fonction.*

Qui suis-je ? Indiquez qui vous êtes dans les cas suivants.

1. Je donne un local à bail : – *un b*_______
2. Je paie chaque mois un loyer : – *un l*_______
3. J'emploie 12 salariés : – *un e*_______
4. J'expédie des marchandises : – *un e*_______
5. J'agis en vertu d'un mandat : – *un m*_______
6. Je participe aux élections : – *un é*_______
7. Je siège au Parlement : – *un p*_______
8. Je travaille pour l'État : – *un f*_______
9. J'écris des livres : – *un a*_______
10. Je voyage dans le monde entier. – *un v*_______

2. Reconnaître un contrat

Indiquez :
- **quel contrat a passé ou veut passer chacune des personnes suivantes ;**
- **comment se nomme chacune des parties à ces contrats et quelles sont leurs obligations principales respectives.**

Exemple : Cas 1
Contrat de prêt ; obligation principale du prêteur : remettre la chose ; obligation principale de l'emprunteur : restituer la chose.

Tu me le rendras jeudi prochain !
1.

J'ai été embauché chez Renault !
2.

J'ai trouvé un appartement pour l'été !
5.

J'ai consulté un avocat !
8.

3. Analyser un contrat

Chacun des trois documents ci-contre atteste de l'existence d'un contrat.

Document 1

SNCF
BILLET — Valable 24 heures maximum après compostage
PARIS MONT 1 ET 2→LORIENT
01ENFANT

Dép 25/06 à 09H40 de PARIS MONT 1 ET 2
Arr à 13H19 à LORIENT
A UTILISER DANS LE TRAIN 8715 TGV
TARIF NORMAL

Classe 2 VOIT 19: PLACE NO 41
01ASSIS NON FUM 01FENETRE
SALLE

Dép à de ***
Arr à à

Classe *

Prix FRF **168.00

Prix par voyageur : 168.00

164
BP NIV.1 873023947351
726500888

:DV 302384735 PARIS EST
:CA 080697 16H03
:SOE3A2 Dossier RVRXRF Page 1/1

Document 2

L'ÉPICERIE PARISIENNE
D. VIDELIER et Cie
25, rue Clerc - 92129 Saint-Cloud
RC Paris B 206 835 49
Tél. 49.33.57.75
CCP Paris 26 9857

Bon de commande N° 2025

Société HAUT-BRANE
35, rue Jourdan
33020 BORDEAUX

Notre demande de prix	Offre fournisseur	Date
du 02-11-199…	du 04-11-199…	Saint-Cloud, le 06-11-199…

Conditions de paiement	Délai de livraison	Emballage		Port	
30 jours fin de mois	immédiate	perdu	X	payé	
		facturé		dû	
		consigné		franco	X

Quantité	Désignation	Prix unitaire	Observations
360	Château Margaux 1991 bouteilles	21,30	remise de 10%

Signature : D. Videlier

Document 3

Entre les soussignés :
– Madame Brigitte Lévêque, domiciliée à Paris, 55 rue Lamartine, d'une part,
– Monsieur Roger Ourset, domicilié à Paris, 7 rue Bleue, d'autre part,

Il a été convenu ce qui suit :
Madame Lévêque, propriétaire, dans un immeuble sis à Paris 17e, 3 rue Laugier, au rez-de-chaussée, d'un local commercial, donne à bail aux conditions ci-après à Monsieur Ourset qui accepte, ledit local, dont la désignation suit :

Désignation : une boutique sur rue de 40 m², avec en arrière-boutique un atelier de travail de 45 m².

Durée :
Le présent bail est consenti et accepté pour une durée de neuf années, renouvelable. Le preneur, qui aura la faculté de dénoncer la présente location à l'expiration de chaque période triennale, devra signifier son congé au bailleur au moins six mois à l'avance par lettre recommandée.

Destination des lieux loués :
Le preneur déclare qu'il utilisera les locaux pour y exercer un commerce de boulangerie-pâtisserie, à l'exclusion de toute autre activité.

Loyer :
Le présent bail est consenti et accepté moyennant un loyer annuel de dix-huit mille euros (18 000 €), payable par trimestre.

Charges et conditions :
Le preneur s'oblige à respecter les conditions suivantes, à savoir :
– de prendre les lieux dans leur état actuel, sans pouvoir exiger, même en cours de location, aucune réparation, le bailleur n'étant tenu qu'aux grosses réparations, telles qu'elles sont définies à l'article 606 du Code civil ;
– de…

Cession :
Le preneur a la faculté de céder son droit au présent bail à l'acquéreur de son fonds de commerce sans que le bailleur puisse s'y opposer. Le bailleur sera prévenu du projet de cession par lettre recommandée, au moins quinze jours à l'avance.

Clause résolutoire :
À défaut de paiement d'un seul terme de loyer à son échéance, ou en cas d'inexécution d'une seule des conditions du bail et un mois après une mise en demeure restée infructueuse, le bail sera résilié de plein droit.

Fait à Paris, le 25 juin 200., en trois exemplaires.

1. Que dit le contrat ?

Analysez chacun des trois contrats ci-contre à l'aide de la grille d'analyse suivante.

<table><tr><td>

ANALYSE D'UN CONTRAT

1. De quel type de contrat s'agit-il ?

S'agit-il, par exemple, d'un contrat de location, d'un contrat de vente, de transport ?

2. Quel est l'objet du contrat ?

Sur quoi porte le contrat ? S'agit-il, par exemple, de la location d'un appartement, de la vente d'une automobile, d'un transport de marchandises ?

3. Quelle est la forme et quelle est la date de formation du contrat ?

Le contrat peut être oral (entretien téléphonique, face à face) ou écrit (acte authentique ou sous seing privé, documents commerciaux échangés par les parties). La date de formation du contrat est celle où se sont rencontrées l'offre et l'acceptation (à ne pas confondre avec la date d'exécution du contrat).

4. Quelles sont les parties au contrat ?

5. Quelles sont les obligations des parties ?

Le plus souvent, le contrat génère des obligations à la charge de chacune des parties (contrat synallagmatique ou bilatéral).

6. Quelles sont les conséquences du non-respect de ses obligations par l'une des parties ?

Ces conséquences sont parfois expressément prévues dans le contrat lui-même. Mais le contrat ne peut pas tout prévoir. On peut s'interroger sur les cas d'inexécution du contrat, qui sont nombreux. Que se passera-t-il si... ? Est-on en présence d'une obligation de moyens ou d'une obligation de résultat ? On peut alors analyser certaines dispositions en ce sens, en imaginant des cas de conflits possibles.

</td></tr></table>

2. Peut-on passer un contrat au téléphone ?

Oui, on peut parfaitement passer un contrat au téléphone, en sachant toutefois qu'il sera difficile d'en apporter la preuve.

a. À l'aide de la grille d'analyse ci-dessus, analysez chacun des contrats conclus au cours de trois entretiens téléphoniques, que vous pouvez écouter (ou lire page 112).

b. Écoutez une nouvelle fois l'entretien 3, puis écrivez la lettre de confirmation du contrat à la place de M. Videlier.

4. Établir les conditions de la responsabilité civile

D'après les articles 1382 et suivants du Code civil, on doit réparer le dommage causé par sa propre faute ou par la faute d'une personne dont on répond (les parents pour leurs enfants, les employeurs pour leurs salariés).

Trois conditions doivent être réunies pour qu'une personne soit déclarée civilement responsable : une faute, un dommage, un lien de causalité entre cette faute et le dommage.

La faute

La faute contractuelle
La faute contractuelle est le non-respect des obligations du contrat.
Exemple : le locataire ne paie pas son loyer.

La faute délictuelle ou quasi délictuelle
Le *délit* est une faute intentionnelle.
Exemples : vol, agression.
Le *quasi-délit* est une faute non intentionnelle, cette faute pouvant suffire à engager la responsabilité.
Exemples : négligence, imprudence.

Le dommage

Le dommage matériel
Exemples : destruction d'un bien, perte d'argent, manque à gagner.

Le dommage moral
Exemple : douleur provoquée par la disparition d'un être cher.

Le dommage corporel
Exemple : handicap dû à une blessure.

Le lien de causalité

La cause directe
La faute doit avoir directement provoqué le dommage. Si une faute a plusieurs causes, il y a *partage de responsabilité* : chaque responsable doit réparation pour la part que sa faute a prise dans la réalisation du dommage.

Les causes d'exonération
Pour dégager sa responsabilité, le défendeur peut faire la preuve que le dommage est dû :
- soit à *la force majeure*, c'est-à-dire à un événement extérieur, imprévisible, insurmontable.
  Exemples : guerre, tremblement de terre… ;
- soit à *la faute de la victime*.
  Exemple : voyageur ne respectant pas les consignes de sécurité.

1. Comment dire

Le juriste doit savoir tirer les conséquences d'une règle de droit ou d'une situation de fait.

Complétez les phrases suivantes à l'aide des mots ou expressions suivants : *à tel point que, j'en déduis, donc, c'est pourquoi, ce qui explique, tant de… que, tellement… que.*

1. Son dossier n'est pas arrivé à temps. Il ne sera _______ pas examiné par la commission.
2. Il était _______ incompétent, _______ il a fini par être licencié.
3. Il conduit très vite et _______ il a eu un accident.
4. Tout ce qu'il dit est bizarre, _______ je me demande si ce n'est pas lui le coupable.
5. C'est une loi injuste, _______ les protestations de toutes parts.
6. Il n'a pas répondu ; _______ que notre proposition ne l'intéresse pas.
7. J'ai _______ travail _______ je ne sais pas par où commencer.

2. Trouver le responsable

Qui est responsable dans les cas suivants ?
Autrement dit, qui doit indemniser la victime ?

Pour répondre à ces questions, vous devez vous demander, d'une part, s'il y a une faute, d'autre part, s'il y a un dommage et enfin, le cas échéant, s'il existe un lien de causalité directe entre cette faute et ce dommage.

1. M. Leblanc laisse sa voiture sur la voie publique, ouverte, sans même ôter la clef de contact. La voiture est volée et le voleur défonce un commerce.
2. Mme Tator est décédée pendant une opération chirurgicale.
3. Un automobiliste renverse un cycliste qui traversait une autoroute. Le cycliste est sauf (Dieu merci !), mais la bicyclette est morte.
4. M. Lustucru a écrasé le chat de Mme Michel. Voyant son chat mort, Mme Michel meurt d'une crise cardiaque.
5. La société Travodur a confié des marchandises à un transporteur routier. Les marchandises ont été perdues en cours de route.
6. Un commerçant ouvre un magasin à côté d'une entreprise rivale et la ruine.
7. Alain Guillon, chauffeur de l'entreprise Meunier, s'est endormi au volant de son camion et a violemment heurté la voiture de Mme Cachelot. Cette dernière est indemne, mais la voiture est à la casse.

3. Travailler dans les assurances

Vous travaillez pour une compagnie d'assurances, la société Lemarc. Vous trouvez sur votre bureau, parmi d'autres documents, les deux lettres ci-dessous, écrites par la même personne, à plusieurs mois d'intervalle.

SOCIÉTÉ HAUT-BRANE
SARL au capital de 50 000 €
35 rue Jourdan – 33020 BORDEAUX CEDEX

ASSURANCES LEMARC
34 av. Victor Hugo
33100 BORDEAUX

V/Réf. :
N/Réf. : FC/EB
Objet : Assurance entrepôt

Bordeaux, le 15 janvier 200.

Messieurs,

Nous sommes sur le point d'acquérir un nouveau local, situé 44 bd Jean Bonneau, à Bordeaux, que nous utiliserons pour entreposer de la marchandise. L'acte de vente doit être signé le 3 février.

Nous souhaitons donc prendre une assurance multirisques (vol, incendie, dégâts des eaux, etc.) pour cet entrepôt (bâtiment et marchandise) à partir de cette date.

Nous attirons votre attention sur le fait que la marchandise entreposée aura une valeur moyenne globale de 120 000 €.

Nous vous prions de bien vouloir nous faire une proposition en nous indiquant précisément les risques couverts et le montant de la prime.

Nous nous tenons à votre disposition si vous désirez visiter les lieux, ou si vous souhaitez un complément d'information.

Nous restons dans l'attente de votre réponse et vous prions de recevoir, Messieurs, nos salutations distinguées.

Élodie Bouchaud

Élodie Bouchaud

RCS Bordeaux B 554 672 129 CB 32 778 Crédit Agricole

Lettre 1

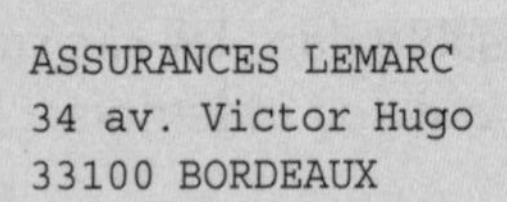

DEX

ASSURANCES LEMARC
34 av. Victor Hugo
33100 BORDEAUX

Bordeaux, le 24 septembre 200.

Lettre recommandée
Police AB 340 98

Messieurs,

Nous vous informons qu'un incendie s'est déclaré ce matin même, vers 9 h, dans notre entrepôt du 44 bd Jean Bonneau à Bordeaux. Nous avons dû appeler les pompiers, qui sont arrivés sur les lieux vers 9 h 15 et qui ont pu éteindre rapidement l'incendie.

Nous ignorons les causes de ce sinistre. Nous vous signalons toutefois que l'entreprise Travodur avait récemment effectué une réparation sur notre installation électrique, précisément dans la partie du local où s'est déclaré l'incendie.

Les dommages peuvent être évalués à 30 000 euros : 20 000 euros de marchandises perdues et 10 000 euros pour le bâtiment, abîmé par l'eau et la fumée.

Nous vous serions reconnaissants de faire le nécessaire pour un règlement rapide de l'indemnité.

Veuillez recevoir, Messieurs, nos salutations distinguées.

Élodie Bouchaud

Élodie Bouchaud

RCS Bordeaux B 554 672 129 CB 32 778 Crédit Agricole

Lettre 2

1. **Retrouvez dans les lettres ci-contre le mot qui correspond à chacune des définitions suivantes :**

a. _______ : événement incertain contre lequel on s'assure

b. _______ : somme due à l'assureur

c. _______ : document écrit matérialisant le contrat d'assurance

d. _______ : réalisation du risque

e. _______ : préjudice

f. _______ : somme d'argent destinée à dédommager la victime

2. **Replacez les différentes étapes ci-dessous dans l'ordre chronologique, puis indiquez à quelle étape a été écrite chacune des lettres ci-contre.**

a. Évaluation du dommage (par un expert)	☐	**e.** Paiement de la prime	☐
b. Calcul de la prime (par l'assureur)	☐	**f.** Déclaration du sinistre	☐
c. Demande d'information (à l'assureur)	☐	**g.** Signature de la police	☐
d. Paiement de l'indemnité	☐	**h.** Offre (de l'assureur)	☐

3. **Retrouvez dans les lettres, *lorsque c'est possible*, les informations suivantes.**

a. Expéditeur des lettres :	________	**h.** Risques assurés :	________
b. Destinataire des lettres :	________	**i.** Numéro de la police :	________
c. Forme juridique de l'expéditeur :	________	**j.** Nature du sinistre :	________
d. Forme juridique du destinataire :	________	**k.** Date du sinistre :	________
e. Biens assurés :	________	**l.** Cause du sinistre :	________
f. Propriétaire des biens assurés :	________	**m.** Montant du dommage :	________
g. Date d'acquisition du local :	________	**n.** Responsable du sinistre :	________

4. **Relevez les sigles que contiennent ces lettres et donnez-en la signification.**

Exemple : CEDEX = Courrier d'Entreprise à Distribution Exceptionnelle

5. **Relevez dans ces lettres les différentes expressions utilisées pour :**

– informer : ____

– demander : ____

6. **Faites suite à la lettre du 24 septembre en répondant à la société Haut-Brane qu'un expert, M. Jassure, se rendra sur le lieu du sinistre le mardi 30 septembre à 10 heures.**

Tester ses connaissances

I. Faire le bon choix

Complétez les phrases suivantes en entourant la bonne réponse.

1. **Art. 489 du Code civil : Pour faire un acte valable, il … être sain d'esprit.**
   a. devrait – **b.** faut – **c.** peut – **d.** fallait

2. **Le débiteur est … de payer son créancier.**
   a. fallu
   b. exigé
   c. dû
   d. tenu

3. **C'est … qui établissent les règles, mais ils ne … respectent même pas.**
   a. lui… le
   b. eux… les
   c. elles… leur
   d. leur… lui

4. **Respectez vos engagements et nous respecterons les …**
   a. siens
   b. nôtres
   c. vôtres
   d. leurs

5. **Je … qu'ils ont déjà engagé de discrètes négociations.**
   a. ne crois pas
   b. croyais
   c. crois
   d. croirais

6. **… que vous ayez raison.**
   a. Il est certain
   b. Admettons
   c. J'espère
   d. Je ne doute pas

7. **… vos arguments sont intéressants ; …, les miens ne le sont pas moins.**
   a. Cependant, … bien sûr
   b. Je l'admets, … c'est exact
   c. Certes, … cela dit
   d. Néanmoins, … sans doute

8. **Nous ne pouvons pas vous livrer … la fin du mois prochain.**
   a. avant
   b. il y a
   c. depuis
   d. jusqu'à

9. **La donation est un acte par lequel le … abandonne un bien en faveur du …**
   a. donneur… donné
   b. donataire… donateur
   c. donateur… donataire
   d. donataire… donneur

10. **L'accident s'est produit … rapidement qu'on n'a rien pu faire.**
    a. assez
    b. si
    c. aussi
    d. d'autant

11. **La victime a droit à un …, évalué à 50 000 €.**
    a. dédommagement
    b. préjudice
    c. intérêt
    d. délit

12. **Veillez à ce que l'assurance couvre tous les …**
    a. dommages
    b. dommages-intérêts
    c. sinistres
    d. risques

13. **L'assuré est obligé de payer … aux époques convenues.**
    a. la police
    b. l'indemnité
    c. la garantie
    d. la prime

14. **Nous nous voyons obligés de … le contrat.**
    a. démolir
    b. résilier
    c. jeter
    d. casser

II. Chasser l'intrus

Dans chaque série de mots ou expressions suivants, barrez les deux intrus.

1. auteur – actionnaire – bailleur – demandeur – défendeur – législateur – voleur – bénéficiaire – fournisseur – expéditeur – assureur.
2. vendre – travailler – transporter – louer – prêter – prétendre – acheter – emprunter – s'associer – juger – s'assurer.
3. payer le loyer – verser le salaire – payer le prix de vente – verser la cotisation d'assurance – payer les honoraires de l'avocat – poursuivre en justice – partager les bénéfices – transporter sain et sauf – payer une amende.
4. erreur sur la personne – plaidoirie des avocats – cause illicite – service public – consentement vicié – objet incertain – incapacité des parties – violence – dol.
5. risque – police – prime – élection – sinistre – démocratie – dommage – indemnité.

III. Faire des phrases

A. Réécrivez les phrases en mettant les mots ou expressions suivants dans l'ordre, en commençant par le(s) premier(s) mot(s) proposé(s).

1. Je refuse – paraissent – tout à fait – un contrat – signer – dont – de – inacceptables – me – les conditions.
2. L'acheteur – le prix – pour – fixé – principale – jour – de payer – a – de la vente – au – obligation.
3. La – faite – contrat – être – écrit – preuve – doit – d'assurance – du – par.
4. Tout fait quelconque – par la faute duquel – qui cause – à le réparer – de l'homme, – il est arrivé, – un dommage, – celui – oblige – à autrui.
5. La – doit – cinq – sinistre – du – être – établie – déclaration – jours – les – dans.

B. Composez une phrase en utilisant les mots suivants dans l'ordre donné et en ajoutant les mots manquants. Mettez les verbes donnés ici à l'infinitif à des modes et temps qui conviennent.

1. La vente – conclure – hier – téléphone – confirmer – aujourd'hui – lettre – vendeur.
2. Le loyer – fixé – parties – conclusion du contrat.
3. Le vendeur – obligation – livrer – acheteur – marchandises – délais convenus.
4. La responsabilité – transporteur – engagée – voyageur – sain et sauf.
5. Il – juger responsable – accident – condamner – réparer – préjudice – subir – victime.

5 La vie des affaires

1. Choisir une forme de société

Le nouvel entrepreneur peut exercer le commerce en son nom propre, en tant que personne physique. Il peut aussi créer une société. Dans ce cas, c'est la société, personne morale, qui exerce le commerce. Parmi les formes juridiques qu'il est possible d'adopter en droit français, la société en nom collectif (SNC), la société à responsabilité limitée (SARL) et la société anonyme (SA) sont les plus répandues.

	SNC	SARL	SA
Nombre d'associés	2 au moins	2 au moins 50 au plus	7 au moins
Nom des associés	*Porteurs de parts*		*Actionnaires*
Statut des associés	Ils sont commerçants.	Ils ne sont pas commerçants. Seule la société, personne morale, a le statut de commerçant. Les associés ne sont pas responsables des dettes de la société.	
Capital social	Divisé en *parts sociales*. Ni minimum ni maximum.	Divisé en *parts sociales*. Minimum : 1 €.	Divisé en *actions*. Montant minimum : 37 000 € ou 225 000 € si la société fait appel public à l'épargne (est cotée en Bourse).
Qui gère la société ?	Un ou plusieurs *gérants*, associés ou non, désignés par les associés.		La société peut être gérée : – soit par un *conseil d'administration*, composé de 3 à 8 *administrateurs*, avec, à sa tête, un *P-DG* (président-directeur général) ; – soit par un *directoire* (5 membres au plus).
Qui contrôle la gestion ?	Les associés réunis une fois par an en assemblée générale.		Les associés réunis une fois par an en assemblée générale. En cas de gestion par un directoire, un *conseil de surveillance* (3 à 8 membres) exerce un contrôle permanent sur le directoire.
L'associé peut-il céder sa part ?	Avec l'accord de tous les associés.	Avec l'accord de la majorité des associés.	Il peut négocier (vendre) ses actions librement, en particulier sur le marché de la Bourse. Les actions sont *librement négociables*.

1. Comment dire

*Les **pronoms** ou **adjectifs indéfinis**, qui marquent la généralité de la règle, se rencontrent fréquemment dans les textes de loi.*

Complétez les articles de loi ci-dessous à l'aide des termes indéfinis suivants : *tous, toute, chacun, chaque, nulle, quiconque, on.*

1. **Code civ., art. 6 :** _______ ne peut déroger, par des conventions particulières, aux lois qui intéressent l'ordre public et les bonnes mœurs.
2. **Code civ., art. 9 :** _______ a droit au respect de sa vie privée.
3. **Code civ., art. 216 :** _______ époux a la pleine capacité de droit.
4. **Code civ., art. 516 :** _______ les biens sont meubles ou immeubles.
5. **Code civ., art. 1123 :** _______ personne peut contracter, si elle n'en est pas déclarée incapable par la loi.
6. **NCPC, art. 14 :** _______ partie ne peut être jugée sans avoir été entendue ou appelée.
7. **NCPC, art. 416 :** _______ entend représenter ou assister une partie doit justifier qu'il en a reçu le mandat ou la mission.

2. Décrire une société

Rattachez les caractéristiques suivantes au(x) type(s) de société correspondant.

	SNC	SARL	SA
1. Elle ne peut pas rassembler plus de 50 associés.	☐	☐	☐
2. Elle peut employer plus de 50 salariés.	☐	☐	☐
3. Les associés sont commerçants.	☐	☐	☐
4. Tous les associés doivent adhérer aux statuts.	☐	☐	☐
5. Elle est parfois cotée en Bourse.	☐	☐	☐
6. Son capital est divisé en actions.	☐	☐	☐
7. Aucun associé ne peut céder ses parts sans l'accord de tous les autres associés.	☐	☐	☐
8. Elle est dirigée par un P-DG.	☐	☐	☐
9. La responsabilité de chaque associé est limitée au montant de ses apports.	☐	☐	☐
10. Les dividendes, qui sont les revenus distribués aux associés, proviennent des bénéfices réalisés.	☐	☐	☐
11. Ses dirigeants sont désignés par les associés.	☐	☐	☐
12. Le droit de vote de chaque associé est en principe proportionnel à la part de capital qu'il détient.	☐	☐	☐

3. Créer une société

Françoise Leguellec, Jacques Fabre et Michael Wagner ont créé une société dont ils viennent de signer les statuts.

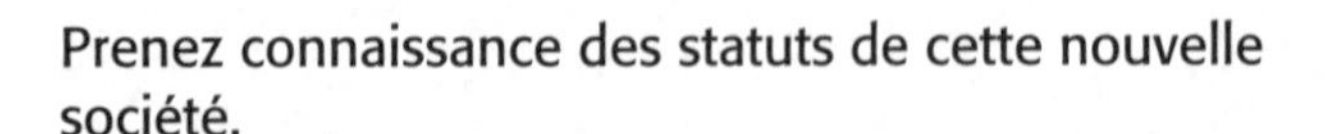

Prenez connaissance des statuts de cette nouvelle société.

Entre les soussignés :

- Madame LEGUELLEC Françoise, de nationalité française, née le 18 septembre 1975, à Gourin (Morbihan) et demeurant 6 rue du Lac à Priziac,
- Monsieur FABRE Jacques, de nationalité française, né le 4 août 1972 à Pontivy (Morbihan) et y demeurant, 45 rue du Château,
- Monsieur WAGNER Michael, de nationalité allemande, né à Berlin (RFA), le 25 mai 1974 et demeurant 9 rue du Chemin à Pontivy,

il a été constitué une société à responsabilité limitée qui sera régie par la loi n° 66-537 du 24 juillet 1966, le décret du 23 mars 1967 et les présents statuts.

Article 1. – Objet – La société a pour objet l'achat et la vente, directement ou indirectement, en France ou à l'étranger, de tous vêtements, de tous articles de confection, masculins ou féminins, pour adultes ou enfants, de tous articles accessoires en toutes matières et en tous genres.

Article 2. – Dénomination sociale : ABIMAX

Article 3. – Siège social – Le siège social est fixé : 34 place de la République à Pontivy (Morbihan).

Article 4. – Durée – La société est constituée pour une durée de quatre-vingt-dix-neuf ans à compter du jour de son immatriculation au Registre du commerce et des sociétés.

Article 5. – Apports – Il est apporté par les associés une somme de cinquante mille euros, à savoir :

- par Madame LEGUELLEC Françoise, une somme de dix mille euros,
- par Monsieur FABRE Jacques, une somme de trente mille euros,
- par Monsieur WAGNER Michael, une somme de dix mille euros.

Ladite somme a été déposée au crédit du compte n° 87548990 ouvert au nom de la société en formation, au Crédit Agricole de Bretagne.

Article 7. – Capital social – Le capital social est fixé à la somme de cinquante mille euros et divisé en cinq cents parts sociales de cent euros chacune.

Article 8. – Gérant – La gérance de la société est assurée par Monsieur FABRE.

Article 21. – Répartition des bénéfices – Les bénéfices réalisés par la société, constatés et approuvés à la clôture de chaque exercice, dans les conditions prévues par la loi, sont répartis entre les associés dans la proportion de leurs apports.

Fait à Pontivy le 23 octobre 200.
en autant d'exemplaires que requis par la loi.

F. LEGUELLEC M. WAGNER J. FABRE

1. Signer les statuts

Analysez le contrat de société ci-contre à l'aide de la grille de la page 73.

2. Donner un conseil d'ami

a. *Françoise Leguellec écrit à l'une de ses amies, Chantal.*
Elle lui apprend qu'elle va faire des affaires avec Jacques et Michael.

Grâce aux indications contenues dans les statuts de la société Abimax, complétez la lettre suivante.

Pontivy, le 24 octobre 200.

Chère Chantal,

C'est décidé : je vais me lancer dans le commerce de vêtements avec Jacques et Michael. Nous sommes tous les trois tombés d'accord pour **(1)**_______ une société. C'est même hier que nous avons signé les **(2)**_______ .

Notre société s'appelle **(3)**_______ et le **(4)**_______ social a été fixé à Pontivy, où nous habitons tous (y compris Michael depuis l'année dernière). Nous avons prévu un **(5)**_______ aussi large que possible pour pouvoir nous adapter aux changements. On ne sait jamais !

Sur les conseils d'un ami (juriste) de Jacques, nous avons opté pour la **(6)**_______ . Jacques a beaucoup insisté pour être le **(7)**_______ statutaire. Il a d'ailleurs apporté la plus grande partie du capital : 30 000 €, ce qui représente les trois **(8)**_______ du capital. Michael et moi avons chacun apporté **(9)**_______ euros. Au total, nous avons donc réuni **(10)**_______ euros, c'est-à-dire bien plus que le 1 euro **(11)** *r*_______ par la loi pour une SARL. Nous avons **(12)**_______ cette somme sur un compte bancaire que nous avons **(13)**_______ au Crédit Agricole **(14)**_______ la société en formation.

Il nous reste maintenant à **(15)**_______ la société au Registre du commerce et à espérer que nous ferons de bonnes affaires. Bien entendu nous nous **(16)**_______ les bénéfices au prorata de nos **(17)**_______ respectifs. Mais est-ce qu'il y aura des bénéfices ? Jacques n'en doute pas. Je te raconterai prochainement la suite des événements.

Bien amicalement à toi,

Françoise

Françoise

b. *Deux semaines plus tard, Françoise reçoit un coup de téléphone de son amie Chantal, qui lui demande quelques conseils car elle veut, elle aussi, créer une entreprise.*

Aprés avoir écouté (ou lu page 113) un extrait de leur conversation téléphonique, mettez-vous à la place de Françoise et écrivez à votre amie Chantal une lettre lui expliquant les avantages de la SARL par rapport à la SNC et à la SA.

2. Informer et protéger le consommateur

À partir des années 70, en France, le législateur est intervenu pour organiser l'information et la protection du consommateur. Les autorités européennes tentent de rapprocher, au moyen de directives, les différents droits nationaux.

Informer le consommateur

- **La publicité ne doit pas être mensongère**
  - Elle ne doit pas contenir d'informations qui sont fausses ou qui sont de nature à induire le consommateur en erreur.
- **L'étiquetage des produits est obligatoire**
  - **Information sur le prix :** le prix, toutes taxes comprises, doit être indiqué sur l'étiquette ou, pour les services (coiffure, restaurant…), ce prix doit être affiché.
  - **Information sur le produit :** sur les étiquetages de certains produits, comme les produits alimentaires préemballés, certaines mentions (ingrédients utilisés, quantité nette, date limite de consommation…) sont obligatoires.

Protéger le consommateur

- **Certaines pratiques commerciales sont interdites**
  - **Ventes par envoi forcé :** le vendeur envoie au consommateur un produit que ce dernier n'a pas commandé et lui adresse ensuite la facture.
  - **Ventes à la chaîne (ou boule de neige) :** un vendeur fait espérer à chacun de ses acheteurs une réduction de prix sous condition qu'il recrute un certain nombre de nouveaux acheteurs, lesquels bénéficient du même avantage conditionnel, et ainsi de suite.
- **L'acheteur a droit à un délai de réflexion**
  - **Démarchage à domicile :** l'acheteur dispose d'un délai de réflexion de 7 jours à compter de la commande pour renoncer à la vente et le vendeur ne peut exiger aucun paiement avant l'expiration de ce délai.
  - **Vente à crédit :** lorsque la vente s'accompagne d'un prêt, l'acheteur-emprunteur dispose d'un délai de 7 jours à compter de l'offre de crédit pour renoncer à cette offre et, donc, à la vente.
  - **Vente par correspondance :** le client a la possibilité de retourner tout article dans les 7 jours à compter de sa réception, pour échange ou remboursement.
- **Les clauses abusives sont réputées non écrites**
  - Une clause est considérée comme abusive si elle confère un avantage excessif au commerçant. On fera comme si elle n'existe pas.

1. Comment dire

Le juriste doit souvent justifier le bien-fondé d'une affirmation ou d'une décision. Il est donc souvent amené à utiliser des mots ou expressions exprimant ***la cause****.*

Complétez les phrases ci-dessous à l'aide des expressions suivantes :
en raison de, parce que, sous prétexte que, en effet, étant donné, faute de.

1. L'audience a été suspendue _______ un malaise du témoin.
2. Il a été élu tout simplement _______ il était le meilleur.
3. Il n'est pas encore venu travailler _______ sa mère était malade.
4. Il a bénéficié d'un non-lieu, _______ preuves.
5. Nous ne pouvons retenir votre candidature. _______, votre profil ne correspond pas au poste.
6. _______ les circonstances, le tribunal s'est montré indulgent.

2. Recruter d'honnêtes vendeurs

Vous êtes chef de vente dans une entreprise et vous devez recruter deux nouveaux vendeurs. Vous cherchez des vendeurs qui soient à la fois compétents et honnêtes.

Les candidats ci-dessous sont tous des vendeurs expérimentés. Retenez, en justifiant votre choix, les deux seuls qui ont réussi dans leur métier sans commettre d'action illégale. Expliquez pourquoi vous ne choisissez pas les autres.

Fanny

Elle envoyait des livres à des familles en leur demandant soit d'en payer le prix, soit de renvoyer le livre.

Germain

Il vendait une poudre miraculeuse qui développait en une nuit des muscles d'athlète.

Laure

Elle offrait une réduction de prix aux clients qui plaçaient des bons de commande auprès d'autres acheteurs.

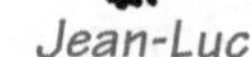

Jean-Luc

Il vendait des aspirateurs à domicile. Il proposait à ses clients de rembourser l'acompte versé à la commande s'ils renonçaient à leur achat dans les sept jours.

Marcel

Il vendait des robots ménagers en proposant au client un essai d'une semaine. Si le client gardait le produit plus d'une semaine, il devait l'acheter et le payer.

Françoise

Elle achetait des vêtements en Asie, qu'elle revendait à Paris au triple du prix d'achat.

3. Défendre les consommateurs

Le Journal du consommateur est la revue d'une association de défense des consommateurs. Dans cette revue, des juristes répondent au courrier des lecteurs (documents 1 et 2) et donnent des informations sur le droit de la consommation (document 3).

Document 1

Marchandise non conforme

Un commerçant m'a vendu une armoire en me certifiant qu'elle était en bois massif. Après livraison, j'ai réalisé que le meuble était en contre-plaqué. Que dois-je faire ?
F. Lamotte (93)

Votre intérêt est de faire venir un expert, comme un menuisier, afin qu'il rédige un constat. Ce document vous permettra d'obtenir plus facilement l'annulation de la vente et le remboursement de la somme payée. Assurez-vous que le bon de commande précise bien que le meuble est en bois massif. Vous pouvez parallèlement porter plainte auprès du procureur de la République. Tout commerçant ou fabricant se rendant coupable de tromperie sur une qualité substantielle de la marchandise est passible de sanctions pénales.

Document 2

Publicité mensongère

Dans une publicité parue dans Le Journal du dimanche *du 3 mars, un commerçant proposait un modèle d'aspirateur au prix très compétitif de 100 euros. Je me suis rendue le 4 mars au magasin, mais cet aspirateur était en fait proposé au prix de 180 euros. J'ai montré l'annonce au vendeur, qui n'a rien voulu savoir. Puis-je l'obliger à me vendre l'aspirateur au prix indiqué dans l'annonce ?*
Michèle Voisin (37)

Les annonces publicitaires de campagnes promotionnelles sur les prix sont réglementées par l'arrêté 77-105 P du 2 septembre 1977. Au terme de l'article 4 de cet arrêté, l'annonceur est tenu de vous vendre le bien ou le service mis en promotion au prix indiqué dans l'annonce. Vous devez donc insister pour obtenir votre article au prix indiqué par la publicité, en menaçant le commerçant de porter plainte pour publicité mensongère.

Document 3

VENTES À DISTANCE :

Le consommateur européen mieux protégé

Une directive européenne fixant les règles du jeu minimales pour la vente à distance (*via* le courrier, le téléphone, le fax, la télévision et Internet) vient d'être adoptée par les ministres des Quinze. Le compromis a été difficile à obtenir, car les États membres de l'Union ont des approches diamétralement opposées, du Royaume-Uni où la vente à distance est très répandue et peu réglementée, à l'Allemagne où tout démarchage téléphonique est interdit. Cette directive dispose, par exemple, que le fournisseur qui ne livre pas dans les 30 jours est obligé de rembourser son client, comme cela se pratique aux États-Unis. « C'est une innovation : pareil délai de livraison obligatoire n'existe dans aucune législation nationale à l'intérieur de l'Union », souligne Jean Allix, chargé des « ventes à distance » à la Commission européenne. Les États membres ont trois ans pour transposer la directive.

1. Envoyer une lettre de réclamation

Complétez les lettres de réclamation ci-dessous, écrites par les deux lectrices citées dans les documents 1 et 2 ci-contre.

Objet : marchandise non conforme

Messieurs,

J'ai acheté auprès de votre établissement une **(1)**_______ certifiée en bois massif, comme l'indique le **(2)**_______ .

Or j'ai découvert que ce meuble avait été fabriqué avec du bois plaqué. C'est ce que m'a confirmé un **(3)**_______ professionnel, dont vous trouverez ci-joint copie du **(4)**_______ .

Je vous mets donc en demeure de me **(5)**_______ sous huit jours la **(6)**_______ payée (800 €) et de venir reprendre le meuble à mon domicile.

À défaut, je me verrai contrainte de **(7)**_______ auprès du procureur de la République pour **(8)**_______ sur une **(9)**_______ de la marchandise vendue.

Recevez, Messieurs, mes salutations distinguées.

Fabienne Lamotte

Objet : publicité mensongère

Madame, Monsieur,

Dans une annonce **(1)**_______ publiée dans le **(2)**_______ du 3 mars, vous **(3)**_______ un aspirateur Moulex AX au prix de **(4)**_______ .

Or, dans votre **(5)**_______, ce même article m'a été proposé au prix de **(6)**_______ .

Je vous demande donc de me le **(7)**_______ au prix indiqué par votre publicité, conformément à l'article **(8)**_______ .

Sans accord de votre part, je me verrai contrainte de porter plainte pour **(9)**_______ .

Je reste dans l'attente de votre réponse et vous prie de recevoir, Madame, Monsieur, mes salutations.

Michèle Voisin

2. Régler un problème de livraison

Maïté Bagarry, une lectrice du Journal du consommateur, *a écrit au journal pour lui exposer le problème suivant.*

Il y a deux mois, j'ai acheté, dans un magasin spécialisé, un ordinateur, que j'ai payé au comptant. Cet ordinateur ne m'a toujours pas été livré, alors que le contrat de vente prévoit que la marchandise est livrée cinq jours après l'achat. Le magasin prétend qu'il est en rupture de stocks et que c'est un cas de force majeure. Dois-je encore attendre longtemps ? Maïté Bagarry

a. Demandez-vous si l'article de loi ci-dessous est applicable au cas de Maïté Bagarry, puis répondez à cette lectrice. Question et réponse seront publiées dans le journal.

Article 3, loi du 18 janvier 1992 – Le consommateur peut dénoncer le contrat de vente d'un bien meuble ou de fourniture d'une prestation de services par lettre recommandée avec accusé de réception en cas de dépassement de la date de livraison du bien ou d'exécution de la prestation excédant sept jours et non dû à un cas de force majeure.

b. Indiquez si les affirmations suivantes sont vraies ou fausses :

	Vrai	Faux
1. L'article 3 de la loi du 18 janvier 1992 ci-dessus est applicable aux ventes à distance.	☐	☐
2. La directive citée dans le document 3 ci-contre est applicable au cas de Maïté Bagarry.	☐	☐
3. Par rapport à l'article 3 de la loi de 1992, la directive apporte un « plus » au consommateur en général.	☐	☐

c. Maïté Bagarry, fatiguée d'attendre son ordinateur, veut maintenant récupérer son argent. Mettez-vous à sa place et écrivez une lettre au magasin.

3. Respecter les règles de concurrence

Les entreprises sont libres d'attirer la clientèle comme elles le souhaitent, mais il leur est interdit d'utiliser certains procédés jugés incorrects.

La concurrence déloyale

Dénigrer (dire du mal d') un concurrent, créer la confusion sur la marque ou le produit sont des exemples d'actes de concurrence déloyale. Le commerçant victime peut demander réparation du préjudice qu'il a subi.

Les comportements anticoncurrentiels individuels

Une entreprise n'a pas le droit :
- de discriminer un acheteur en refusant de lui vendre son produit ;
- de pratiquer le dumping, qui consiste à vendre à un prix anormalement bas.

Les comportements anticoncurrentiels collectifs

Droit français

Sont interdites :
- les *ententes* entre entreprises
- et les *positions dominantes* d'entreprises qui faussent le jeu de la concurrence sur un marché.

Sont soumises à un contrôle :
- les opérations de *concentration* d'entreprises.

Il existe en France une instance particulière, le *Conseil de la concurrence*, chargé tout spécialement de contrôler de telles pratiques.

Droit européen

Le traité de Rome établit des règles communautaires qui s'appliquent dès que le marché européen est concerné. Les *ententes* entre entreprises ainsi que les *abus de position dominante* sont interdits, dès lors que la concurrence à l'intérieur du marché européen est faussée. De plus, les *aides des États* aux entreprises sont interdites si elles faussent la concurrence entre les États membres.

La *Commission européenne* exerce un contrôle sur les opérations de concentration. Elle surveille les aides d'État, que les gouvernements sont tenus de déclarer. Les aides prohibées par la Commission doivent être modifiées ou supprimées.

1. Comment dire

Le juriste attache une grande importance à la cohérence structurelle de l'exposé, oral ou écrit. Car il ne suffit pas d'avoir des arguments. Encore faut-il savoir les présenter clairement en les reliant entre eux.

Voici quelques articulateurs de l'argumentation : *ensuite, en outre, d'abord, par ailleurs, de plus, enfin, aussi, de surcroît, finalement, d'une part, d'autre part, avant tout, encore, à la fin, et puis, ultime argument, également, en fin de compte, commençons par, pour terminer, ajoutons que, première raison, autre raison.*

Classez ces articulateurs dans le tableau ci-dessous, suivant qu'ils introduisent un premier argument, un ou plusieurs des arguments suivants, ou alors, en toute certitude, un dernier argument.

Premier argument	Arguments suivants	Dernier argument
en premier lieu,	*en second lieu,*	*en dernier lieu,*

2. Classer ses idées

Vous avez assisté à l'exposé d'un professeur sur le thème de la concurrence.

Voici les trois parties de son exposé :

1re partie : Les avantages de la concurrence
2e partie : Les caractéristiques d'un marché de concurrence
3e partie : Les obstacles à la concurrence

Classez dans l'une des trois parties ci-dessus les idées suivantes :	Partie 1	Partie 2	Partie 3
a. Progrès technique et gains de productivité	☐	☐	☐
b. Ententes formelles ou tacites	☐	☐	☐
c. Baisse des prix pour le consommateur	☐	☐	☐
d. Acheteurs et vendeurs en grand nombre	☐	☐	☐
e. Concentration économique	☐	☐	☐
f. Élimination des entreprises les moins performantes	☐	☐	☐
g. Acheteurs et vendeurs de taille moyenne (aucun ne pouvant à lui seul influencer le marché)	☐	☐	☐
h. Transparence (connaissance des prix et des produits)	☐	☐	☐

3. Assister à un cours de droit

La Commission européenne peut sanctionner les entreprises qui ne respectent pas les règles de la concurrence au sein de l'Union européenne. En France, ce pouvoir de sanction appartient au Conseil de la concurrence.

Olivier Janin, professeur de droit à la Sorbonne, détaille devant ses étudiants, réunis dans un amphithéâtre, les différentes sanctions du droit de la concurrence.

Écoutez (ou lisez ci-dessous) les explications du professeur Janin.

Je distinguerai en première partie les sanctions judiciaires et en seconde partie les sanctions administratives.

Les sanctions judiciaires peuvent être soit de nature civile, soit de nature pénale.

Les sanctions civiles découlent en premier lieu de l'action en réparation que la victime d'une pratique anticoncurrentielle peut engager. Dans ce cas, la sanction consiste en des dommages-intérêts destinés à réparer le préjudice subi.

Les sanctions civiles peuvent en second lieu consister en la nullité des accords anticoncurrentiels.

À côté des sanctions civiles, il existe par ailleurs des sanctions pénales. En vertu du droit français, l'auteur d'une pratique anticoncurrentielle peut être puni d'une peine d'emprisonnement de six mois à quatre ans et d'une amende de 80 euros à 80 000 euros.

Examinons maintenant les sanctions administratives. Tout d'abord, ces sanctions peuvent être pécuniaires. Les sanctions pécuniaires sont prévues par le droit français d'une part, et par le droit communautaire d'autre part.

En droit français, la sanction pécuniaire est limitée à 5 % du chiffre d'affaires.

En droit communautaire, le montant de la sanction peut être compris entre mille et un million d'unités de compte.

Il existe également un second type de sanction administrative : c'est l'injonction. L'injonction est un ordre donné aux entreprises de mettre fin à leurs pratiques anticoncurrentielles.

En droit français, cette injonction est faite par le Conseil de la concurrence.

En droit communautaire, c'est la Commission qui peut obliger les entreprises à mettre fin à l'infraction.

Hormis ces deux types de sanctions administratives, à savoir les sanctions pécuniaires et l'injonction, le Conseil de la concurrence peut enfin ordonner la publication de sa décision dans des journaux, ce qu'il fait d'ailleurs très souvent.

1. Relier des idées

Le professeur Janin utilise différents termes pour articuler son discours.

Écoutez (ou lisez) de nouveau son exposé et relevez tous les mots de liaison qu'il utilise.

2. Prendre des notes

Un étudiant, qui a assisté au cours de M. Janin, a pris les notes ci-contre.

a. Relevez les différentes techniques utilisées par cet étudiant pour prendre des notes.

b. À l'aide de ces notes, restituez oralement l'exposé de M. Janin.

3. Bâtir un plan

La pensée juridique s'exprime de manière extrêmement structurée et le plan du cours d'un professeur de droit est un modèle du genre.

Reconstituez le plan de l'exposé du professeur Janin, en complétant le tableau ci-dessous.

4. Passer un examen

Vous passez un examen de droit et vous êtes interrogé(e) sur les sanctions du droit de la concurrence dans votre pays.

Traitez le sujet en vous inspirant des notes et du plan ci-contre.

Prise de notes

1ère part. : sctions jud.
2ème part. : sctions adm.
Sctions jud. → civiles
→ pénales

Sctions civ.
– Action resp. de victime ⇒ DI
– Nullité accords anticonc.
Sctions pénales (Dt frais)
– Emprisonnt : 6 mois → 4 ans
– Amende : 80€ → 80 000€
Sctions adm.
– Sctions pécuniaires
→ Dt frais : limitées 5 % CA
→ Dt UE 1000 → 1 million U Cpte
– Injonction = ordre aux entrep. : fin pratiques anticonc.
→ Dt frais : Conseil Conc
→ Dt UE : Comm.
– Conseil Conc pt ordonner publ. décision ds jnx

Plan de l'exposé

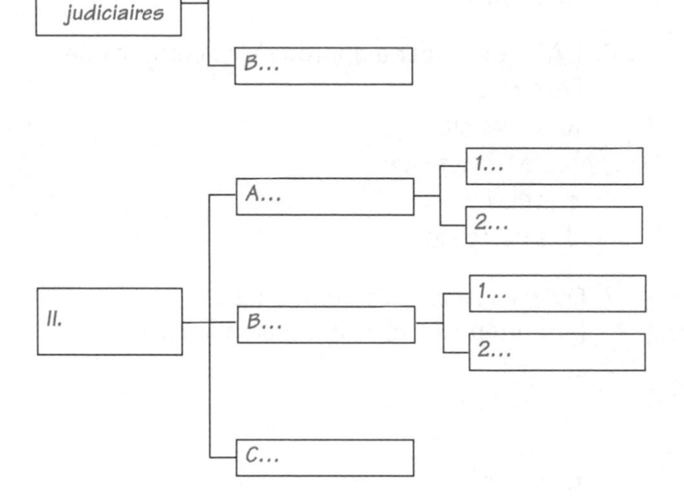

Tester ses connaissances

I. Faire le bon choix

Complétez les phrases suivantes en entourant la bonne réponse.

1. Dans une petite entreprise, ... se connaît.
   a. personne
   b. tout le monde
   c. chaque
   d. nul

2. Il n'apporte ... preuve.
   a. toute
   b. aucune
   c. chacune
   d. nullement

3. Il a été acquitté ... preuves.
   a. faute de
   b. en raison de
   c. sous prétexte de
   d. par suite de

4. Sont commerçants ... font des actes de commerce.
   a. qui
   b. ce qui
   c. ce que
   d. ceux qui

5. Le quorum ... été atteint, l'assemblée n'a pas pu valablement délibérer.
   a. n'aura pas
   b. n'ayant pas
   c. aura
   d. ayant

6. L'AG qui ... hier a approuvé les comptes de l'exercice.
   a. se tiendrait
   b. se serait tenue
   c. s'était tenue
   d. s'est tenue

7. Qu'elles ... privées ou publiques, les entreprises résistent bien à la crise.
   a. sont
   b. seraient
   c. soient
   d. ont été

8. Examinons d'abord les causes et nous étudierons ... les conséquences.
   a. puis – b. deuxième – c. ensuite – d. d'ailleurs

9. Chaque associé doit faire un ... de capital à la société.
   a. escompte – b. dividende – c. apport – d. prorata

10. Cette clause ... est réputée ... .
    a. non écrite... abusive
    b. abusive... non écrite
    c. abusive... écrite
    d. écrite... non abusive

11. Le consommateur peut porter plainte pour ... .
    a. concurrence déloyale
    b. vente à crédit
    c. prix exagéré
    d. publicité mensongère

12. Les ententes ... la concurrence.
    a. soutiennent
    b. libèrent
    c. aident
    d. faussent

13. Nous vous ... de régler cette facture immédiatement.
    a. mettons en demeure
    b. réclamons
    c. accusons réception
    d. indiquons

14. M. Dubois a créé avec deux amis la SARL Dubois, à laquelle il a apporté 15 000 €. Chacun des deux amis a fait un apport de 4 000 €. Après avoir été immatriculée au registre du commerce, la société a contracté un prêt bancaire de 10 000 €. Quel est le montant du capital de la SARL Dubois ?
    a. 19 000 €
    b. 23 000 €
    c. 25 000 €
    d. 33 000 €

II. Chasser l'intrus

Dans chaque série de mots ou expressions suivants, barrez les deux intrus.

1. entente – abus de position dominante – Conseil de surveillance – pratique discriminatoire – collectivité territoriale – concurrence déloyale – dumping.
2. président – conseil d'administration – conseil municipal – directeur général – actionnaire – citoyen – administrateur.
3. en contrefaçon – à la chaîne – à crédit – par actions – par correspondance – à domicile – à distance.
4. peine d'emprisonnement – paiement de dommages-intérêts – répartition des bénéfices – nullité de l'accord – injonction – amende – publication de la décision dans la presse – registre du commerce.
5. payer les impôts – informer le consommateur – prendre ses congés – voter la loi – respecter le jeu de la concurrence – payer les cotisations sociales – tenir une comptabilité.

III. Faire des phrases

A. Réécrivez les phrases en mettant les mots ou expressions suivants dans l'ordre, en commençant par le(s) premier(s) mot(s) proposé(s).

1. Le président – ses – générale – assemblée – reconduit – dans – lors de – fonctions – dernière – été – la – a.
2. Les – marché – actions – le – sont – boursier – négociables – sur – librement.
3. Tout – de – pénales – respecter – commerçant – les – règles – la – sanctions – peine – concurrence – de – doit – sous.
4. Une – pays – membres – européenne – consommateur – renforce – du – la – les – protection – directive – dans.
5. Discriminer – constituent – pratiquer – acheteur – dumping – déloyale – des – ou – de – un – le – concurrence – actes.

B. Composez une phrase en utilisant les mots suivants dans l'ordre donné et en ajoutant les mots manquants. Mettez les verbes donnés ici à l'infinitif à des modes et temps qui conviennent.

1. Fonctionnaire – ne pas pouvoir – commerçant.
2. Patrimoine – entreprise individuelle – se confondre – celui – propriétaire.
3. Associés – responsables – dettes – société – biens personnels.
4. Durée – société – 99 ans – à compter de – registre du commerce.
5. Société Abimax – bénéfice exceptionnel – bien que – concurrence – très vive.

6 Les relations du travail

1. Analyser la formation du contrat de travail

Le contrat de travail est une convention par laquelle une personne, le salarié, s'engage, en contrepartie d'une rémunération appelée salaire, à exercer une certaine activité au profit et sous la subordination d'une autre personne, l'employeur.

À quoi reconnaît-on un contrat de travail ?

La prestation de travail

Le salarié s'engage à travailler. Les tâches peuvent être diverses : travaux manuels, intellectuels, artistiques, etc.

La rémunération

L'employeur s'engage à payer un salaire, qui peut être calculé :
- au temps ;
- au rendement ;
- à la commission.

La subordination juridique

Le salarié accepte de se placer sous l'autorité de son employeur. Grâce à son pouvoir de commandement, l'employeur peut donner des ordres au salarié et le sanctionner de diverses manières : avertissement, mise à pied, rétrogradation, licenciement.
Ce lien de subordination permet de distinguer le contrat de travail du contrat d'entreprise. À la différence du salarié (lié par un contrat de travail), le travailleur indépendant (lié par un contrat d'entreprise) n'a pas d'ordre à recevoir de son client.

Que trouve-t-on dans un contrat de travail ?

Les parties se mettent d'accord sur :
- **la fonction et la qualification** ;
- **la rémunération**, qui ne peut être inférieure dans de nombreux pays à un certain montant (en France, le SMIC – salaire minimum interprofessionnel de croissance) ;
- **l'horaire :** la durée légale du travail étant en France de 35 heures par semaine, toute heure supplémentaire est payée à un taux majoré ;
- **le lieu du travail** ;
- **la période d'essai**, au cours de laquelle les parties peuvent rompre le contrat à tout moment ;
- **la durée du contrat**, qui est en principe indéterminée, mais qui peut aussi être déterminée. Dans ce dernier cas, le contrat prend fin au terme fixé à l'avance.

1. Comment dire

Afin de mettre de l'ordre dans les très nombreuses institutions et opérations juridiques, le juriste s'efforce de classer les mots par genre (exemple : *les contrats) et par espèce* (exemples : *le contrat de vente, le contrat de bail).*

Complétez le tableau ci-dessous à l'aide des mots suivants : *contrat à durée déterminée, contrat à titre gratuit, contrat d'entreprise, contrat à durée indéterminée, contrat de travail, contrat, contrat à titre onéreux.*

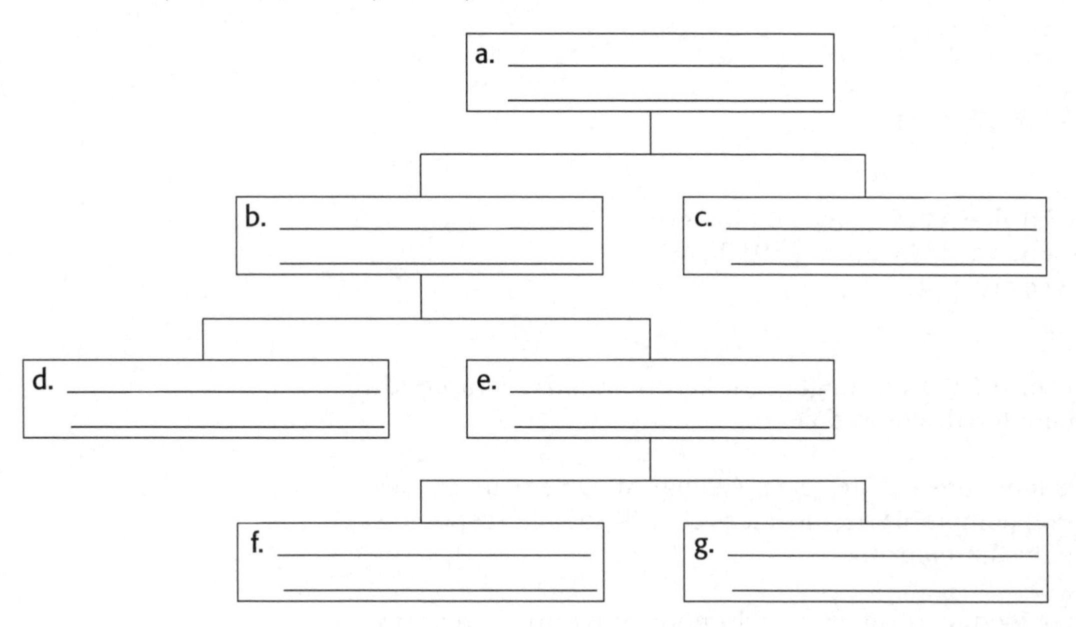

2. Qualifier le contrat

A-t-il été passé, dans les cas suivants, un contrat de travail ou un contrat d'entreprise ? Pourquoi ?

	Contrat de travail	Contrat d'entreprise
1. Un électricien refait l'installation électrique chez un particulier, pour un certain prix et dans un certain délai.	☐	☐
2. Un professeur donne des cours particuliers à domicile, à des heures régulières, pour un prix qu'il a lui-même fixé.	☐	☐
3. Un journaliste, travaillant pour plusieurs journaux, est tenu d'écrire un certain nombre d'articles par mois, sur des sujets qui lui sont imposés, pour chacun de ces journaux.	☐	☐
4. Un comédien joue dans une pièce de théâtre, à des jours déterminés, pour un cachet fixé par représentation.	☐	☐

3. Passer un contrat de travail

M. Leroux vient d'être embauché par la société Paribas Immobilier. Mme Jeanne Binon, chef du personnel, lui a demandé de signer le contrat de travail ci-dessous.

Prenez connaissance de ce contrat de travail.

PARIBAS IMMOBILIER
Société anonyme
au capital de 37 000 €
33 rue Lafayette
75009 Paris

Entre la société Paribas et Monsieur Alain Leroux,
demeurant 78 boulevard Magenta, 75010 Paris,
il a été convenu ce qui suit :

Article 1. La société Paribas engage M. Leroux Alain à compter du 2 avril 2000 en qualité de comptable.

Article 2. Les fonctions exactes exercées par M. Leroux seront les suivantes : gestion comptable des dossiers clients sous la responsabilité du directeur administratif.

Article 3. Le présent contrat est conclu pour une durée indéterminée. Il ne deviendra définitif qu'à l'expiration de la période d'essai de deux mois. Durant cette période d'essai, chacune des parties pourra rompre ses engagements sans délai de préavis ni indemnité de licenciement.

Article 4. Le salaire mensuel brut est fixé à 2 300 euros, auquel s'ajoute une prime de 13ᵉ mois.

Article 5. M. Leroux s'engage à se conformer aux horaires de travail de l'entreprise ainsi qu'aux prescriptions du règlement intérieur dont il déclare avoir pris connaissance.

Article 6. Le présent contrat est régi par la Convention collective nationale de l'immobilier.

Fait en double exemplaire à Paris le 27 mars 2005

J Binon — A. Leroux

Pour Paribas Immobilier SA J. Binon, chef du personnel	Lu et approuvé A. Leroux

1. Une nouvelle lettre d'engagement

Le contrat de travail de M. Leroux aurait pu prendre la forme d'une lettre d'engagement.

Grâce aux informations contenues dans le contrat de travail de la page ci-contre, complétez la lettre ci-dessous, puis analysez ce contrat, à l'aide de la fiche de la page 63.

PARIBAS IMMOBILIER
Société anonyme
au capital de 37 000 €
33 rue Lafayette
75009 Paris

Monsieur (1) _______
78 boulevard Magenta
75010 Paris

Objet : (2) _______ de travail

Paris, le (3) _______

Monsieur,

À la suite de notre entretien du 22 mars 2005, nous vous confirmons votre (4) _______ à partir du (5) _______ pour une durée (6) _______, en qualité de (7) _______ directement rattaché à la direction (8) _______ .

Votre rémunération mensuelle (9) _______ s'élève à (10) _______, sur (11) _______ mois.

Les dispositions de la (12) _______ sont applicables au présent contrat, en ce qui concerne notamment le délai de (13) _______ et le montant des (14) _______ de licenciement. Par ailleurs, vous serez tenu de respecter les (15) _______ du règlement intérieur, que nous vous adressons ci-joint.

Nous vous rappelons que nous sommes convenus d'une période d'essai de (16) _______ mois, pendant laquelle chacune des parties est libre, à tout moment, de (17) _______ le contrat.

Si ces conditions reçoivent votre (18) _______, vous voudrez bien nous (19) _______ le double de cette lettre après y avoir porté la mention (20) « _______ et _______ » suivie de votre (21) _______ .

Veuillez recevoir, Monsieur, nos salutations distinguées.

P.J. : (22) 1_______

Le (23) _______

J. Binon

J. Binon

2. Un ancien contrat de travail

M. Leroux, qui vient d'entrer dans la société Paribas Immobilier, discute avec M. Bernard, qui travaille depuis plusieurs années dans cette entreprise.

Écoutez (ou lisez page 113) leur conversation et, en vous inspirant du contrat ci-contre de M. Leroux, reconstituez le contrat de travail que M. Bernard a signé quand il est entré dans la société.

2. Établir les conditions du licenciement

L'employeur qui veut licencier un salarié doit, d'une part, avoir un motif réel, c'est-à-dire existant (non inventé), et sérieux, c'est-à-dire suffisamment important pour justifier un licenciement. Il doit, d'autre part, respecter une certaine procédure.

À moins que le salarié n'ait commis une faute grave, il a droit, lors de son licenciement, à un délai de préavis et à une indemnité de licenciement.

Le conseil de prud'hommes condamne l'employeur à verser des dommages-intérêts au salarié qui a été licencié sans motif réel ou sérieux, ou alors sans que la procédure légale ait été respectée.

Les motifs du licenciement

Le motif personnel

C'est un motif inhérent à la personne du salarié. Ce peut être une faute du salarié, qui doit être d'une certaine gravité, car une faute légère ne justifie pas un licenciement.
En dehors de toute faute, le comportement ou la situation personnelle du salarié peut être un motif sérieux à condition de perturber gravement la bonne marche de l'entreprise. Tel pourrait être le cas d'une absence pour longue maladie.

Le motif économique

C'est un motif inhérent à l'entreprise. Il s'agit d'une suppression ou d'une transformation d'emploi due à des difficultés économiques de l'entreprise ou à des mutations technologiques dans l'entreprise.

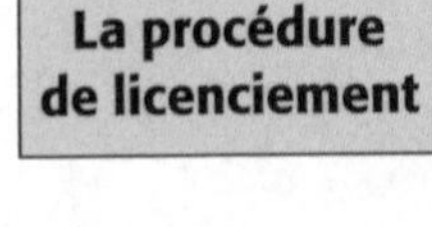
La procédure de licenciement

Les trois phases de la procédure

L'employeur doit :
- convoquer le salarié à un entretien préalable, par lettre recommandée ;
- avoir un entretien avec le salarié, au cours duquel il lui indique les motifs du licenciement ;
- notifier le licenciement par une lettre recommandée, qui énonce le ou les motifs du licenciement.

Les spécificités du licenciement économique

Si le licenciement a un motif économique, l'employeur doit, en outre :
- dans tous les cas, informer l'administration ;
- en cas de licenciement collectif, consulter les représentants du personnel (comité d'entreprise ou délégué du personnel). Si le licenciement touche 10 salariés ou plus, l'entretien individuel n'est plus obligatoire.

1. Comment dire

Dans le langage du droit, les synonymes sont quasiment inexistants. Car le droit ne doit pas être approximatif. Les mots peuvent avoir un sens voisin, mais distinct.

Rattachez chacun des mots suivants à sa définition.

1. licite
2. légal
3. régulier
4. légitime

a. conforme aux exigences de forme
b. conforme au droit en général
c. conforme à une valeur reconnue par le droit
d. conforme à la loi

5. nul
6. annulable
7. annulé

e. qui peut être annulé
f. déclaré nul
g. entaché de nullité

8. agrément
9. consentement
10. adhésion
11. acceptation

h. volonté de chacune des parties à un contrat
i. accord devant être obtenu de l'administration pour la réalisation de certaines opérations
j. manifestation de volonté par laquelle une personne donne son accord à une offre de contrat qui lui est faite.
k. assentiment personnel donné à un projet préparé par d'autres

2. Apprécier le motif d'un licenciement

Voici ci-dessous différents motifs invoqués par des employeurs pour licencier leur salarié. Indiquez pour chaque cas :
– si le motif invoqué est personnel ou économique ;
– et s'il vous paraît sérieux.

1. Mme Raoul, institutrice dans une école catholique, a divorcé et s'est remariée.
2. Le poste de Mme Drouet a été supprimé à la suite de la réorganisation du service comptable.
3. Mme Avoine, standardiste, est arrivée trois fois avec un retard de 20 minutes, en un an de travail.
4. M. Leduc a fait grève et a empêché les non-grévistes de travailler.
5. Mlle Machin s'entend mal avec ses collègues et crée un climat de tension.
6. M. Lenain a été licencié en raison de la « conjoncture économique internationale ».
7. M. Duhamel, directeur général, est en désaccord avec le président sur les méthodes de gestion.
8. Mlle Pénélope, qui travaille à l'accueil, porte des vêtements indécents et provocateurs.
9. La qualification de M. Dubois ne correspondait plus aux nouveaux besoins de l'entreprise.
10. M. Deville, VRP, a réalisé, pour la première fois, un mauvais chiffre d'affaires.

3. Suivre une affaire de licenciement

Un an après son embauche, M. Leroux a reçu de son employeur, la société Paribas Immobilier, les deux lettres suivantes.

Lettre 1

Monsieur A. Leroux
78 boulevard Magenta
75010 Paris

Paris,
le 2 avril 2006

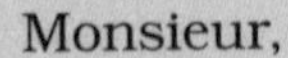

Monsieur,

Nous sommes au regret de vous informer que nous envisageons votre licenciement.

En application de l'article L. 122-14 du Code du travail, nous vous prions de vous présenter à nos bureaux le 7 avril, à 14 heures, pour un entretien préalable.

Conformément au texte précité, nous vous rappelons que vous pouvez vous faire assister pour cet entretien par une personne de votre choix, appartenant au personnel de notre entreprise.

Veuillez recevoir, Monsieur, nos salutations distinguées.

Le chef du personnel
J Binon
Jeanne Binon

Lettre 2

Monsieur A. Leroux
78 boulevard Magenta
75010 Paris

Paris,
le 14 avril 2006

Monsieur,

À la suite de notre entretien du 7 avril, j'ai le regret de vous signifier votre licenciement pour le motif suivant : vos fréquents retards depuis un an, malgré nos lettres d'avertissement du 12 février et du 3 mars derniers.

La présentation de cette lettre recommandée fixe le point de départ de votre délai de préavis d'un mois.

À la fin de ce préavis, vous voudrez bien vous présenter à nos bureaux pour signer le reçu pour solde de tout compte et recevoir votre certificat de travail.

Veuillez recevoir, Monsieur, nos salutations distinguées.

Le chef du personnel
J Binon
Jeanne Binon

1. Le licenciement est-il abusif ?

M. Leroux, estimant que son licenciement était abusif, a poursuivi la société Paribas devant le conseil de prud'hommes de Paris, qui a rendu le jugement ci-dessous.

a. Complétez ce jugement grâce aux indications contenues dans les lettres ci-contre, puis analysez-le à l'aide de la fiche page 29.

M. Leroux a formé **(1)** *co*_______ la SA Paribas Immobilier une **(2)** *d*_______ de paiement de dix **(3)** _______ mille (10 000) euros à titre de **(4)** dommages-_______ pour **(5)** *l*_______ sans **(6)** *c*_______ réelle ni **(7)** *s*_______ .

M. Leroux fut **(8)** *en*_______ à compter du 2 avril 2005 en **(9)** _______ de comptable **(10)** _______ la SA Paribas Immobilier et fut **(11)** *l*_______ par lettre **(12)** *r*_______ en date du **(13)** _______ au motif qu'il arrivait fréquemment au travail en retard. Conformément à l'article **(14)** _______, ce licenciement fut précédé d'un **(15)** *e*_______, qui eut lieu le **(16)** _______ et au cours duquel M. Leroux se fit **(17)** *a*_______ de M. Bernard.
M. Leroux quitta la société le 15 mai 2006 après avoir effectué un **(18)** _______ d'un mois. À son départ, il signa un **(19)** _______ qu'il dénonça par une lettre du 20 mai, et il lui fut remis un **(20)** _______ .

M. Leroux conteste le **(21)** *m*_______ de son **(22)** *l*_______ en faisant **(23)** *val*_______ qu'il n'est pas arrivé en retard plus de trois fois en un an de travail et que ces retards, qui n'ont jamais dépassé dix minutes, ne peuvent pas constituer un motif **(24)** _______ et **(25)** _______ de **(26)** _______ .

La société défenderesse soutient au contraire que les retards de M. Leroux étaient fréquents et importants et que M. Leroux n'a pas tenu compte des deux lettres **(27)** *d'a*_______ qui lui furent envoyées les **(28)** _______ .

Attendu que la société **(29)** *déf*_______ apporte à l'appui de ses allégations plusieurs **(30)** *attest*_______ écrites qui prouvent que les retards de M. Leroux perturbaient la bonne marche du service **(31)** *co*_______ ; que, dans ces conditions, le licenciement de M. Leroux a bien un **(32)** _______ .

PAR CES MOTIFS : (33) *déb*_______ M. Leroux Alain de sa (34) *d*_______ .

b. À l'intention d'un public de non-initiés, reformulez *dans un langage courant*, par écrit ou oralement, le jugement ci-dessus.

2. Faut-il réformer le droit du travail ?

Mme Geneviève Martin, professeur de droit à la Sorbonne, dont les thèses sont proches des organisations patronales, et M. Bruno Lévêque, syndicaliste, débattent sur cette question.

a. Écoutez (ou lisez page 114) un extrait du débat et notez les arguments avancés par Mme Martin en faveur d'une réforme du droit du travail.

b. Puis, à l'aide de vos notes, écrivez un article qui sera publié dans le journal d'une organisation patronale. Expliquez-y, de façon structurée, les raisons pour lesquelles le droit du travail en vigueur ne vous paraît plus adapté à la situation actuelle.

3. Définir le droit de grève

La Constitution française énonce que le droit de grève «s'exerce dans le cadre des lois qui le réglementent». Mais la loi réglemente très peu le droit de grève, sauf dans le secteur public, où elle fait obligation de déposer un préavis de cinq jours et où elle interdit à certaines catégories d'agents (policiers, magistrats) de faire grève.

Dans le secteur privé, ce sont les juges qui ont défini le droit de grève et sanctionné ses abus. D'après la jurisprudence, la grève est une cessation concertée et collective du travail par les salariés en vue d'obtenir la satisfaction d'une revendication d'ordre professionnel. *La grève est licite à condition de répondre à tous les éléments – ni plus ni moins – de cette définition.*

Une cessation complète du travail

- **La grève est un abandon clair et net du travail.** Est illicite la *grève perlée*, qui consiste dans l'exécution du travail au ralenti ou dans des conditions volontairement défectueuses. La *grève du zèle* est un type de grève perlée.
- **La grève peut avoir des modalités variées.** Peu importe le moment de la grève : la *grève surprise* est licite. Peu importe sa durée : les *débrayages*, qui sont de brefs arrêts de travail répétés, sont licites. Toutefois, les grévistes doivent respecter la liberté de ceux qui veulent travailler. Les *piquets de grève*, qui se postent aux portes de l'entreprise, n'ont pas le droit d'empêcher les non-grévistes de se rendre au travail.

Une cessation concertée et collective du travail

- **La grève est une cessation concertée du travail.** Il doit y avoir une entente préalable des travailleurs. Mais la grève ne suppose pas une initiative syndicale : la *grève sauvage* (sans ordre syndical) est licite.
- **La grève est une cessation collective du travail.** La grève est le fait d'une collectivité de travailleurs. Mais il n'est pas nécessaire qu'elle soit le fait de la totalité ni même de la majorité.

Des revendications d'ordre professionnel

- **La grève politique est illicite.** En cas de grève mixte, reposant à la fois sur des mobiles politiques et des mobiles professionnels, les juges déclarent illicites les grèves animées d'un mobile principalement politique.
- **Les grèves de solidarité ne sont pas toujours licites.** La *grève de solidarité* a pour but de soutenir les revendications d'autres salariés de la même entreprise (*solidarité interne*) ou d'une autre entreprise (*solidarité externe*). Ce type de grève est illicite si les grévistes ne présentent pas de revendications les concernant eux-mêmes ou concernant l'ensemble du personnel.

1. Comment dire

Le juriste sait bien que, pour mieux définir et saisir le sens d'un mot, il peut être utile de l'opposer au sens d'un autre. Ces ***rapports d'opposition*** *lui permettent de clarifier sa pensée en mettant un peu d'ordre dans la complexité des institutions juridiques.*

Rattachez les mots de la colonne A à ceux de la colonne B dans un rapport d'opposition.

A		B
1. demandeur	d	a. acceptation
2. créancier	______	b. direction
3. employeur	______	c. ouvrier
4. patron	______	d. défendeur
5. offre	______	e. débiteur
6. grève	______	f. salarié
7. syndicat	______	g. lock-out

2. Assister à une réunion syndicale

Au Grand Bazar, un grand magasin parisien, des représentants syndicaux envisagent de lutter contre le dernier plan social de la direction.

Prenez connaissance des propositions qui sont faites et, pour chacune d'elles, indiquez :
– quel est le type d'action envisagée : *grève surprise, grève perlée, grève sauvage, grève de solidarité, piquets de grève ;*
– si une telle action est licite.

3. Enquêter sur les conflits du travail

Vous travaillez comme journaliste pour un journal français d'informations générales. Vous êtes spécialisé dans le domaine des conflits du travail et vous enquêtez sur une grève, commencée deux semaines auparavant dans un grand magasin parisien, le Grand Bazar.

Lisez d'abord, ci-dessous, l'article L. 521-1 du Code du travail et les notes jurisprudentielles qui le suivent. Puis, à l'intention de vos lecteurs, reformulez *dans un langage courant* l'article de loi et chacune des notes jurisprudentielles.

Titre II. – Conflits collectifs

CHAPITRE 1er – la grève

Art. L. 521-1. La grève ne rompt pas le contrat de travail, sauf faute lourde imputable au salarié.

1. Le droit de grève étant un droit d'ordre public, toute renonciation est, en principe, exclue *(Trib. civ. Aix-en-Provence, 10 déc. 1954)*.

2. La grève étant un droit, il appartient à l'employeur d'apporter la démonstration que l'usage qui en a été effectué fut abusif *(Soc. 12 fév. 1969)*.

3. Lorsque après un vote de la majorité des salariés en faveur de la reprise du travail, certains persistent dans leur refus de travailler, ils conservent la qualité de grévistes et sont, à ce titre, protégés *(Soc. 19 juin 1952)*.

4. Il n'y a pas lieu de respecter un délai de préavis pour se mettre en grève *(Soc. 13 mars 1980)*.

5. Il ne peut être reproché aux travailleurs qui recourent à la grève de choisir le moment le plus efficace *(Soc. 20 janv. 1956)*.

6. Un arrêt de travail ne perd pas le caractère de grève licite du fait qu'il n'a pas été déclenché à l'appel d'un syndicat *(Soc. 19 fév. 1981)*.

7. Les salariés ne sont pas obligés d'attendre le résultat d'une procédure de conciliation légale ou conventionnelle pour se mettre en grève *(Soc. 28 oct. 1954)*.

8. La grève peut être la manifestation d'une crainte d'ordre professionnel et social, telle que la peur d'une compression d'effectifs *(Soc. 27 fév. 1976)*.

9. Est illicite la grève qui n'est pas effectuée à l'appui de revendications propres aux grévistes *(Soc. 3 mars 1984)*.

10. La durée de la grève peut être d'un quart d'heure *(Soc. 6 nov. 1958)*, d'une heure *(Soc. 4 juill. 1972)*, de quelques heures *(Soc. 13 juin 1957)*, de 24 heures *(Soc. 9 janv. 1963)*, de plusieurs semaines *(Soc. 3 mars 1970)*.

11. Il n'y a pas d'arrêt de travail et donc pas de grève lorsque le travail est exécuté au ralenti ou dans des conditions volontairement défectueuses *(Soc. 5 mars 1953)*. Les salariés qui y participent sont exposés à des mesures disciplinaires, y compris un licenciement sans préavis *(Soc. 6 janv. 1972)*.

12. Se rendent coupables d'une faute lourde les grévistes qui refusent de laisser quiconque pénétrer dans les bureaux ou ateliers *(Soc. 8 fév. 1972)*.

1. Réaction patronale

Vous avez interrogé les membres de la direction du Grand Bazar. Tous pensent, pour des raisons diverses, que cette grève est illicite.

Donnez votre point de vue sur chacune des déclarations suivantes, en vous appuyant sur les notes jurisprudentielles citées sous l'article L.521-1 du Code du travail.

a. Les grévistes ne prouvent pas que leur mouvement est justifié.

b. Cette grève dure maintenant depuis plus de deux semaines. Une grève ne peut pas durer aussi longtemps.

c. Ils n'ont même pas attendu notre réponse à leurs revendications pour se mettre en grève !

d. Ils protestent contre un plan de licenciement qui n'a même pas encore été adopté !

e. Cette grève a été déclenchée à l'approche des fêtes de Noël, c'est-à-dire à l'époque la plus rentable de l'année.

f. Bientôt la grande majorité reprendra le travail et on pourra tranquillement licencier la petite poignée de grévistes qui persistent.

g. Nous avions pris soin d'insérer dans tous les contrats de travail une clause interdisant le droit de grève et ils ont tous accepté cette clause.

2. Action syndicale

Vous avez récemment asssisté, à Londres, à un séminaire sur « Le syndicalisme en Europe ». À cette occasion, Geneviève Martin, professeur de droit du travail à La Sorbonne, a donné une conférence, en français, sur le syndicalisme français. Son exposé a été suivi de plusieurs questions du public.

a. Écoutez (ou lisez page 115) un extrait de son intervention, puis, pour la rubrique « Courrier des lecteurs », répondez aux problèmes posés ci-dessous par deux lecteurs de votre journal.

Il y a un an, j'ai adhéré au syndicat CGT de mon entreprise. Je voudrais maintenant me retirer du syndicat, mais il paraît que je n'ai pas le droit et que je dois payer ma cotisation. Que me conseillez-vous de faire ? *Pierre Curie*

Je travaille chez Kaki, une entreprise textile qui emploie 160 salariés. Il y a huit mois et malgré la réticence de l'employeur, j'ai fondé un syndicat autonome. Près de 120 salariés ont immédiatement adhéré et payé leur cotisation. Pourtant mon employeur refuse à notre syndicat le droit de participer aux négociations actuelles sur l'accord d'entreprise. Il prétend que le syndicat est de création trop récente. A-t-il raison ? *Claudine Laguillette*

b. Écrivez un article présentant le syndicalisme dans votre pays selon différents points de vue (liberté syndicale, taux de syndicalisation, structures syndicales, critères de représentativité, puissance des syndicats, etc.), en le comparant, le cas échéant, au syndicalisme français.

Jeu de l'oie du français juridique

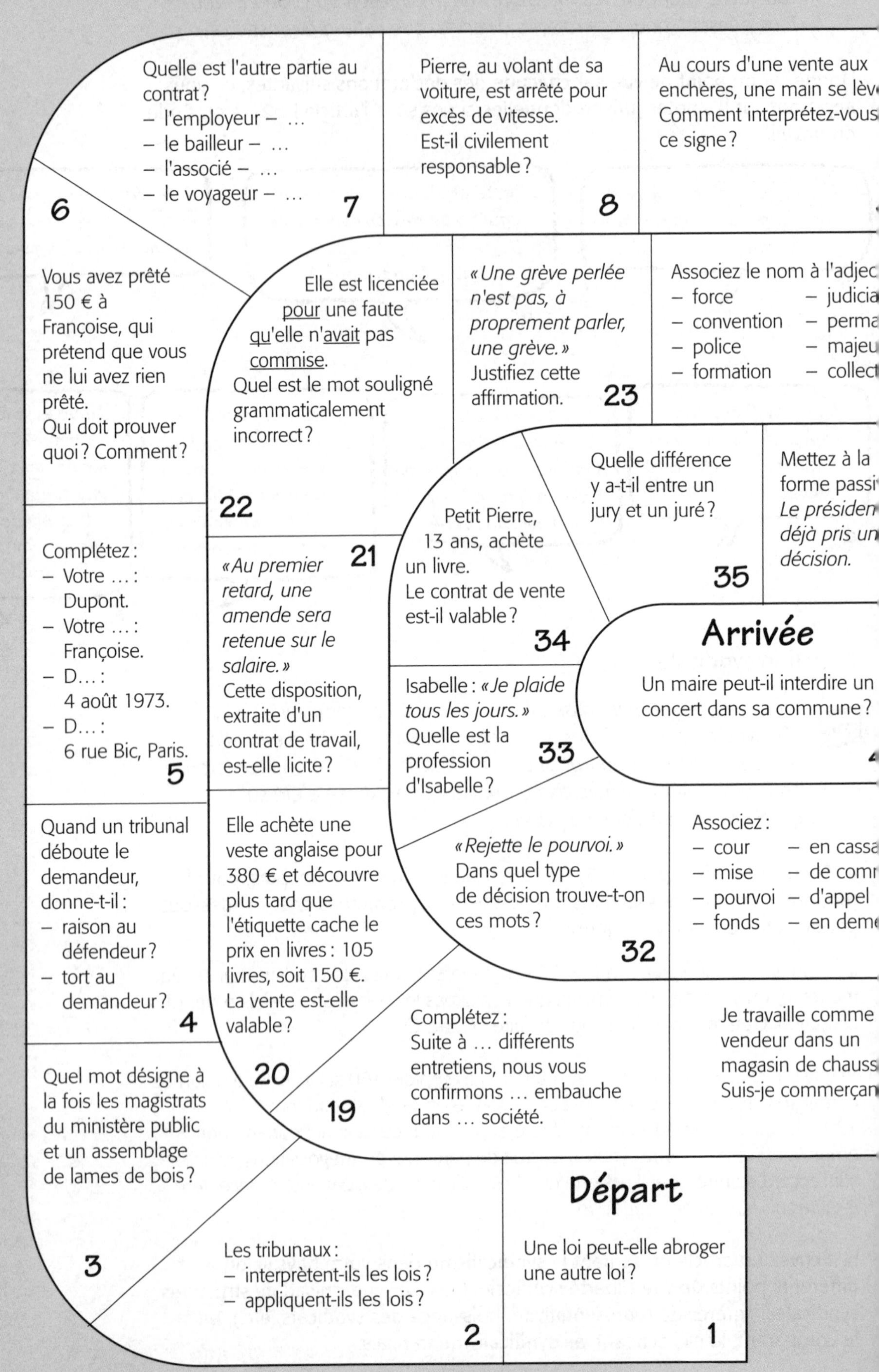

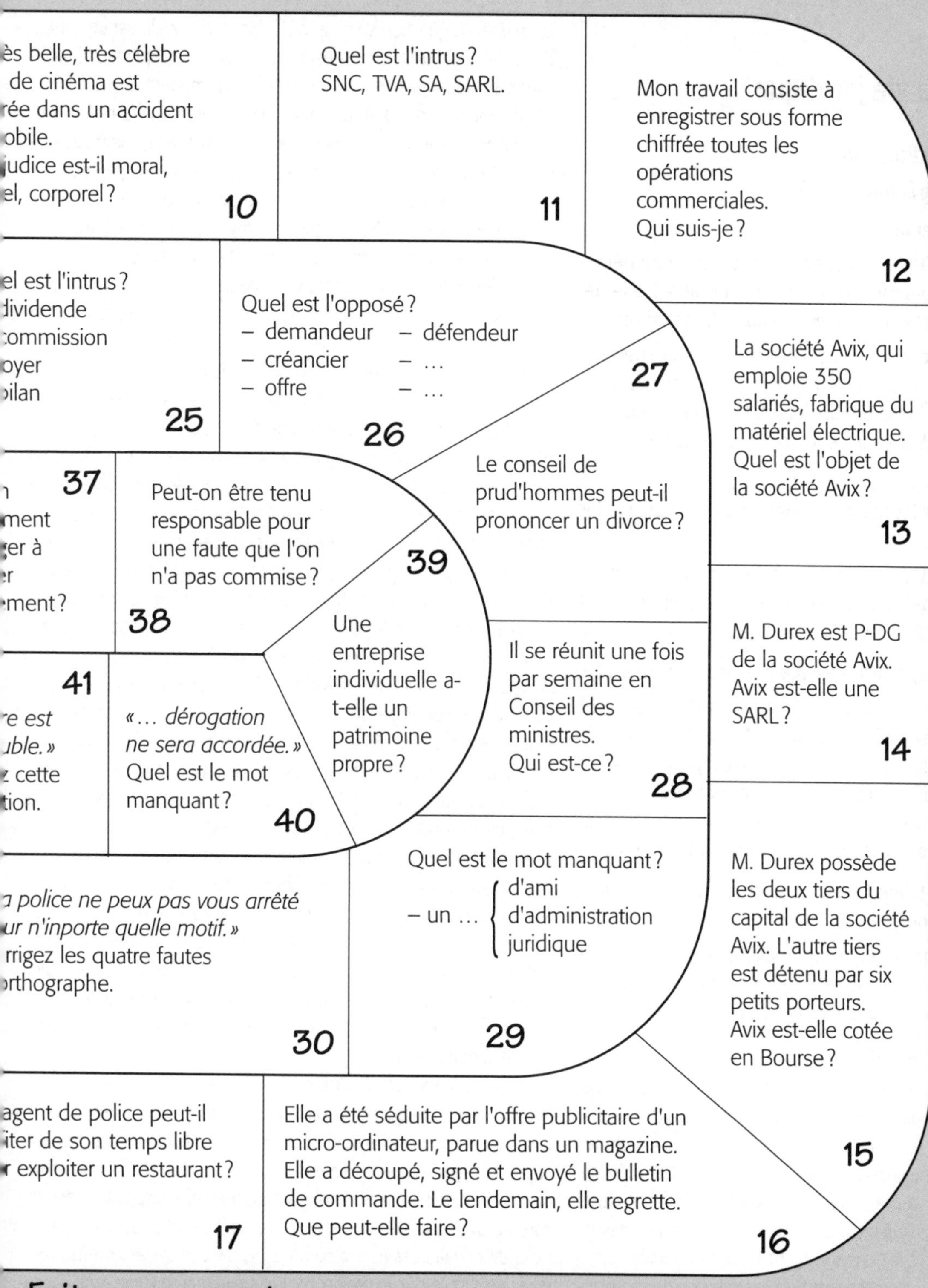

Faites vos comptes. Chaque réponse juste et complète compte pour un point.

Si vous avez obtenu :
- entre 38 et 42 points : bravo… vous êtes devenu un expert en français juridique.
- entre 30 et 38 points : c'est bien, mais il vous reste quelques progrès à faire pour communiquer efficacement avec des juristes francophones.
- entre 15 et 30 points : ce n'est pas vraiment excellent… il vous reste à combler vos lacunes en reprenant certaines sections de cet ouvrage.
- entre 0 et 15 points : ne vous découragez pas mais le mieux serait de réviser les six unités de ce livre.

Transcription des enregistrements

1 Le cadre de la vie juridique

3. Découvrir les institutions de l'Union européenne (p. 19)

Interview de M. Olivier Janin

Vous avez écrit que l'Union européenne n'était pas une démocratie parce que le peuple européen y était mal représenté. Pourtant, le Parlement européen est élu au suffrage universel.

Oui, mais cette élection au suffrage universel crée une illusion de démocratie. Le problème, c'est que ce Parlement a des pouvoirs très limités. Il participe peu à l'élaboration des lois. Les lois sont adoptées par les différents conseils qui, eux, ne sont pas issus du suffrage universel.

Le peuple n'a-t-il pas les moyens d'exercer un contrôle sur les conseils ?

Il n'a aucun moyen. De plus, les séances des conseils ne sont pas publiques. On ne sait pas ce qui se passe, ce qui a été dit. En fait, les lois européennes sont élaborées dans le secret.

Et ce manque de transparence n'est pas bon pour la démocratie.

Évidemment. Dans ces conditions, le peuple ne peut que se désintéresser, voire même se méfier de l'Europe. En fait, les gens ne se sentent pas du tout concernés. Demandez à un citoyen ordinaire de vous parler des institutions européennes, demandez-lui de vous expliquer qui fait quoi, qui vote les lois, qui prend les principales décisions. Eh bien, vous ne trouverez pas grand monde pour vous répondre.

Pourtant tout est écrit dans les textes communautaires, les traités, les différents accords.

Oui, mais, d'une part, les textes sont multiples et d'autre part, ils sont écrits dans une langue obscure et complexe. Même un juriste a des difficultés à les comprendre. Imaginez donc le lecteur moyen.

Mais alors, que proposez-vous ?

Il faudrait rédiger une constitution claire, la Constitution européenne, que tout le monde comprendrait et, dans la foulée, il faudrait apporter un certain nombre de réformes, pour mettre fin à la confusion des pouvoirs. On dit que l'exécutif est entre les mains de la Commission. Mais à bien examiner les textes, on remarque que la Commission n'exécute que si le Conseil le veut bien. On dit aussi que le Conseil détient le pouvoir législatif. En fait, le Conseil entérine le plus souvent les textes qui lui sont soumis par la Commission. Bref, la confusion des pouvoirs est totale, ce qui n'est pas bon signe pour la démocratie.

4. Dégager les sources du droit (p. 23)

Cours de M. Janin

L'existence d'un droit communautaire nous amène à nous poser deux questions : la première est celle de savoir si les dispositions de ce droit communautaire sont directement applicables aux individus. La deuxième question se pose quand la loi nationale est en contradiction avec le droit communautaire. Dans ce cas, que faut-il faire ? Faut-il appliquer la loi nationale ou la loi communautaire ?

Demandons-nous donc d'abord si le droit communautaire est directement applicable, non seulement aux États, mais également aux individus. M. Gutierrez, Mme Dupont, la société X peuvent-ils, par exemple, se prévaloir des dispositions du traité de Rome ? Autrement dit, peuvent-ils, par exemple, invoquer eux-mêmes devant un juge national tel ou tel article du traité de Rome ? Les traités eux-mêmes ne disent rien à ce sujet et c'est la Cour de justice des Communautés européennes qui a répondu à cette question. Et elle y a répondu par l'affirmative : oui, un individu peut très bien se prévaloir directement des traités communautaires ou du moins peut-il se prévaloir de certaines dispositions des traités. Quelles sont alors ces dispositions ? Eh bien, d'après la Cour, pour qu'une disposition d'un traité communautaire soit directement applicable, il faut que cette disposition soit claire, précise et inconditionnelle. Autrement dit, il faut que cette disposition ne dépende pas de mesures d'exécution, qu'elle ne nécessite pas d'autres actes de la part des États membres ou de la Commission. C'est le cas, par exemple, toujours selon la Cour de justice européenne, de l'article 12 du traité de Rome sur la libre circulation des marchandises, ou de l'article 52, portant sur la liberté d'établissement, ou de l'article 59, sur la libre prestation des services.

La Cour de justice européenne a même étendu cette règle aux directives. En principe, comme vous le savez, avec la directive, les États membres sont obligés d'atteindre un certain résultat, dans un certain délai. Pour atteindre ce résultat, ils ont le choix des moyens. Mais voilà : que se passe-t-il si un État refuse ou du moins néglige de transposer une directive dans le droit national ? Dans ce cas, un individu peut-il demander directement l'application de la directive ? Eh bien, là aussi, la Cour de justice nous dit qu'un citoyen communautaire peut tout à fait invoquer les dispositions d'une directive, à la condition toutefois que cette directive soit suffisamment claire et suffisamment précise. Autrement dit, pour être directement applicable, la directive ne doit laisser aucune marge de manœuvre ou du moins très peu de marge de manœuvre aux États membres qui sont chargés de la transposer.

L'applicabilité directe du droit communautaire pose une autre question, une seconde question, tout aussi fondamentale : que se passe-t-il lorsqu'une disposition du droit communautaire, qui est directement applicable, que ce soit la disposition d'un traité, d'un règlement, d'une directive, que se passe-t-il donc lorsqu'une telle disposition est en contradiction avec le droit national ? Le droit communautaire écrit ne nous dit rien là-dessus. Par exemple, aucun des traités communautaires ne stipule que le droit communautaire prime sur le droit national ou que le droit national soit supérieur au droit communautaire. Pourtant, vous comprenez bien qu'il est indispensable de reconnaître la primauté du droit communautaire sur le droit national. Pourquoi ? Eh bien, parce que, dans le cas contraire, il ne resterait évidemment rien ou du moins pas grand-chose du droit communautaire. Il ne resterait rien d'un droit communautaire qui serait subordonné au droit national. Et ceci, tout simplement, parce que n'importe quelle loi nationale pourrait rendre caduque n'importe quelle règle communautaire. Dans ce cas, la construction de l'Europe deviendrait tout simplement impossible. La Cour de justice européenne a donc reconnu très nettement le principe de la primauté du droit communautaire.

Vous retiendrez en conclusion toute l'importance du rôle que joue la Cour de justice des Communautés européennes. Car c'est elle, finalement, qui a posé les deux grands principes dont je viens de parler, et qui sont, en quelque sorte, les deux piliers sur lesquels est assis le droit communautaire : le principe de l'applicabilité directe du droit communautaire, d'une part, et le principe de la prééminence du droit communautaire sur le droit national, d'autre part.

2 Les acteurs de la justice

1. Découvrir les juridictions judiciaires *(p. 29)*

Allocution radiotélévisée de Jacques Chirac, 20 janvier 1997

... Mais, pour moi, la réforme de la justice doit aller au-delà de cette réflexion. En effet, la justice ne répond pas assez aux attentes des Français, malgré la qualité de ses magistrats, de ses fonctionnaires, de ses auxiliaires. Vous êtes trop nombreux à la trouver trop lente, parfois trop chère et, en définitive, peu compréhensible. Et il est vrai qu'il n'est pas supportable, dans un État de droit, de devoir attendre plusieurs années la décision d'une cour d'appel et de voir classer sans suite une proportion importante des plaintes.

Il faut donc moderniser la justice afin de la rendre plus rapide, plus claire, et plus proche de vos besoins. L'effort engagé déjà par le gouvernement devra être fortement amplifié. C'est ce que je lui demande. Les moyens consacrés à la justice doivent être augmentés. Tout l'exige : la demande de justice, qui ne cesse de croître ; l'introduction indispensable des nouvelles technologies ; la rénovation des bâtiments judiciaires et pénitentiaires. Il n'y aura pas de modernisation de la justice sans effort national accru en sa faveur.

Mais ces moyens doivent aussi être mieux utilisés. Le juge doit pouvoir se consacrer à ses missions essentielles. Il faut donc les redéfinir. Il faut qu'une formation permanente permette aux magistrats de s'adapter aux évolutions rapides de notre société. Il faut réfléchir sereinement, en concertation avec les élus locaux, à notre carte judiciaire.

Quant aux procédures, elles doivent être simplifiées. Actuellement, pour obtenir un jugement, nous dépassons très souvent le délai « raisonnable » défini par la Convention européenne des droits de l'homme. Raccourcir cette durée, faciliter l'accès au droit et à la justice, garantir l'exécution de ses décisions, tel est l'objectif. L'enjeu est d'autant plus grand que l'on touche à la vie quotidienne de nos concitoyens : je pense, par exemple, aux affaires familiales ou aux litiges devant les prud'hommes.

Je voudrais aussi qu'on recherche comment prévenir les procès ou traiter autrement les conflits. Par exemple, en recourant plus souvent à la conciliation ou à la médiation. En évitant de faire toujours plus appel au droit pénal. Autant de voies, et il en est d'autres, que nous devons explorer. Sur tous ces aspects, qui touchent à l'amélioration du fonctionnement de la justice, je demande au gouvernement de me soumettre, au mois de juillet prochain, un plan d'action pour les cinq ans à venir.

Mes chers compatriotes, il nous faut aujourd'hui bâtir une bonne justice, une justice incontestée, une justice sereine et respectée. Vous le savez, de grandes réformes sont en cours : la modernisation de notre défense, la sauvegarde de notre protection sociale, la réforme de l'État, l'adaptation de notre système éducatif et, maintenant, la réforme de la justice. C'est ainsi qu'ensemble nous préparons notre pays aux défis de l'an 2000.

2. Découvrir les juridictions administratives *(p. 33)*

Interview de maître Isabelle Campion

La décision du Conseil d'État est-elle une décision importante ?

Oui, dans une certaine mesure, parce qu'elle va obliger l'administration à mieux traiter un certain nombre de demandeurs d'asile, de ces hommes, de ces femmes qui étaient expulsés dans les jours, voire dans les heures qui suivaient le dépôt de leur demande. C'est le cas par exemple de nombre d'Irakiens, qui par décisions successives, pouvaient être renvoyés de France vers l'Italie, d'Italie vers la Jordanie et enfin de Jordanie vers l'Irak, tout ça sans que leur demande d'asile ait jamais été examinée. Cette décision a donc une certaine importance, du moins en théorie.

En théorie ?

Oui, parce qu'il faut bien voir qu'elle ne concerne que les demandes d'asile déposées à la frontière. En pratique, ces demandes à la frontière ne concernent qu'une proportion relativement faible du total des demandes d'asile.

Quelle proportion exactement ?

Eh bien, sur les 16 000 demandes d'asile qui ont été déposées cette année, il n'y en a finalement que 500 – 530 exactement, si mes souvenirs sont exacts – qui l'ont été à la frontière.

Et les autres ? Toutes les autres ?

Les demandes d'asile, dans leur immense majorité, ne sont pas déposées à la frontière. Elles sont examinées dans les préfectures, selon une procédure différente, une procédure qui, selon le ministère, ne fait pas l'objet de rejet pour ce motif. Le problème, c'est que, pour toutes ces autres demandes d'asile, c'est le bon vouloir de l'administration qui reste la règle. Autrement dit, l'administration échappe à tout contrôle juridictionnel.

Alors, finalement, on peut dire, qu'en pratique, cet arrêt n'a pas l'importance que veulent bien lui donner les associations de défense des immigrés.

Ce qu'il faut bien comprendre, c'est que cette décision s'inscrit dans un contexte de plus en plus restrictif en matière de droit d'asile. Bien que les conflits pullulent sur notre planète, bien qu'un nombre considérable de personnes se trouvent en danger, je veux dire, en danger de mort, eh bien, la France est de moins en moins une terre d'asile. Par exemple, cette année, sur les 107 Libériens qui ont demandé l'asile politique, pas un seul n'a obtenu satisfaction. Ils ont tous été expulsés, y compris ceux qui vivaient en France depuis de nombreuses années.

Comment expliquez-vous un tel manque d'hospitalité de la part de la France ?

Juridiquement, par une interprétation restrictive de la convention de Genève. Contrairement aux recommandations du Haut

Commissariat des Nations unies pour les réfugiés, la France, ou plus précisément, l'administration française, écarte toute persécution émanant d'un agent autre que l'État. En bref, cet arrêt du Conseil d'État ne doit pas nous faire oublier que les conditions d'admission au statut de réfugié politique se sont considérablement réduites.

3 Droits et biens des personnes juridiques

1. Identifier les personnes juridiques *(p. 47)*

Conseils de M. Dumas

Pour créer une entreprise, que votre entreprise soit une société ou une entreprise individuelle, il y a tout un tas de formalités à accomplir. En fait, le mieux, c'est de commencer à réunir les documents, dès que vous avez trouvé un local pour votre activité. Pour connaître la liste des documents qui sont nécessaires, il faut s'adresser au centre de formalités des entreprises. Ils ne sont pas toujours très aimables, mais, bon, ils sont tout de même là pour vous aider. De toute façon, c'est au centre de formalités qu'il faut déposer les documents. En principe, une fois que vous avez rempli vos documents, c'est-à-dire toutes les déclarations, vous les déposez et le centre de formalités s'occupe de tout. Tout, ça veut dire, l'immatriculation au registre du commerce, ça veut dire qu'ils envoient les déclarations au service des impôts, euh... ils doivent aussi avertir l'inspecteur du travail si vous embauchez un salarié, ils envoient les déclarations à la Sécurité sociale, bon, enfin, ils transmettent tous les documents aux organismes concernés. À vrai dire, le plus difficile, enfin, pour moi, le plus ennuyant, c'est de rassembler toutes les pièces. Par exemple, je me rappelle, quand j'ai créé mon entreprise, en 1995, c'était une entreprise individuelle, il fallait une copie de ma carte d'identité, un extrait d'acte de naissance, euh... le contrat de bail pour le local commercial, euh... etc., etc. Bon, enfin, si tout se passe bien, le registre du commerce vous envoie l'extrait « K » en quelques jours. C'est comme ça qu'on appelle ce papier. L'extrait « K », c'est pour les entreprises individuelles, c'est-à-dire, en fait, pour les personnes physiques qui sont commerçantes. Pour les sociétés, ça s'appelle « extrait K-bis ». Enfin, bref, c'est une espèce de carte d'identité de votre entreprise. Mon comptable m'a dit que c'est ce document-là, l'extrait K ou K-bis, qui donnait naissance, juridiquement naissance, à votre activité. Donc, quand vous avez fait tout ça, vous êtes né comme commerçant ou alors c'est votre société qui est née, mais ne croyez pas que les formalités administratives soient terminées pour autant. Non, non, en fait, ça ne fait que commencer. D'abord, le plus vite possible, c'est plus prudent, il faut souscrire toutes les assurances nécessaires. Il faut aussi acheter une dizaine de livres comptables. La comptabilité, d'ailleurs, ce n'est pas rien. Il faut tenir les comptes jour après jour, c'est-à-dire enregistrer la moindre opération, il faut garder toutes les factures, que ce soit les factures que vous envoyez, bon, là, vous gardez une copie, ou celles que vous recevez, et puis, tout ça sans compter le bilan de fin d'exercice. Heureusement que j'ai un bon comptable ! Je me suis déchargé sur lui de pratiquement tout. C'est lui qui remplit les papiers pour la Sécurité sociale et pour les impôts. Par exemple, le formulaire de déclaration de TVA, je n'ai plus qu'à signer. Il faut bien que je trouve un peu de temps pour les clients. Dans ce pays, on ne peut vraiment pas dire que l'administration facilite la vie des entreprises.

2. Distinguer les différents droits de la personne *(p. 51)*

Interview de maître Campion

Peut-on se faire arrêter par la police en se promenant dans les rues de Paris ?

Oui, si vous êtes ivre, mais à condition que votre ivresse soit manifeste.

Si je comprends bien, vous avez le droit d'être ivre chez vous, mais pas dans la rue.

Exactement. Bon, mais ce cas mis à part, la police ne peut appréhender une personne dans la rue ou dans un endroit public que dans certains cas bien déterminés.

Alors, justement, quels sont ces cas ?

Le premier cas concerne les personnes condamnées à une peine de prison ferme.

Ah oui, bien entendu, ça se comprend...

Une personne peut également être arrêtée si elle fait l'objet d'un mandat d'arrêt ou d'amener de la part d'un juge d'instruction. Ce sont des mandats judiciaires.

Des mandats judiciaires...

Un mandat judiciaire est un ordre donné par le juge à la police. C'est un document signé par le juge qui indique l'identité de la personne à arrêter, les faits reprochés et les articles de lois applicables.

Quel est le troisième cas ?

Le troisième et dernier cas concerne les crimes ou les délits considérés comme flagrants, c'est-à-dire commis sous les yeux de quelqu'un. Je dis bien : crime ou délit. Si vous avez commis une simple contravention, comme une petite infraction au Code de la route, la police n'a pas le droit de vous arrêter.

Pouvez-vous nous donner des exemples ?

Par exemple, le vol, qui est un délit. Si le voleur est pris sur le fait, en train de voler, il peut se faire arrêter non seulement par un policier, mais également par toute personne présente sur les lieux. C'est d'ailleurs le seul cas où un simple particulier peut se transformer en policier. Ceci dit, un particulier n'a absolument pas le droit de procéder à un interrogatoire ou à une fouille. Il doit arrêter le voleur et appeler la police.

Et après ? Une fois que la police a arrêté le voleur...

La procédure de flagrant délit accorde à la police des pouvoirs exorbitants. L'officier de police judiciaire peut vous placer en « garde à vue », c'est-à-dire, en fait, vous emprisonner pendant 24 heures et, ce qui est grave, c'est que ces 24 heures sont dans certains cas renouvelables.

En dehors de ces différents cas, la police ne peut donc pas priver un citoyen de liberté.

En principe. Mais la réalité est un peu différente. D'abord, les contrôles d'identité sont souvent des prétextes pour conduire quelqu'un au commissariat. Ensuite, dans le cadre de certaines enquêtes de police, les policiers se permettent souvent d'arrêter des personnes qu'ils considèrent comme coupables ou simplement suspectes. Cette pratique est totalement illégale.

3. Analyser le droit de propriété *(p. 55)*

Interview du juriste par le journaliste

Ces dernières années, de nombreuses entreprises ont été privatisées non seulement en France, mais aussi dans de très nombreux pays. Alors, ma première question est la suivante : quel est l'intérêt de privatiser une entreprise ? Pourquoi privatiser ?

Une privatisation permet principalement de dégager l'entreprise de la protection de l'État, pour la soumettre à la loi du marché. Une privatisation permet aussi de faire rentrer de l'argent dans les caisses de l'État.

Quelles sont les entreprises qui peuvent être privatisées ?

Votre question en soulève une autre : jusqu'où va le service public ? En gros, on peut dire que sur ce sujet, il y a – du moins en France – deux écoles qui s'opposent. Pour certains, disons pour la droite, l'État doit se contenter de rendre un service public minimum. Pour d'autres, au contraire, disons pour la gauche, l'État doit contrôler les secteurs stratégiques de l'économie et les très grandes entreprises doivent donc être placées sous le contrôle de l'État.

Et qu'est-ce qu'une privatisation change pour l'entreprise ?

La grande différence, c'est que l'entreprise se retrouve soumise à la concurrence. En cas de pertes, elle ne sera pas renflouée par l'État. Comme elle n'est plus protégée, elle doit donc se battre davantage.

Comment s'y prend-on pour privatiser ?

On procède à une offre publique de vente. Le public a la possibilité d'acheter des parts du capital de l'entreprise, sous forme d'actions. Le plus souvent, l'offre publique de vente ne concerne qu'une partie des titres mis sur le marché. Le reste est cédé à de grands groupes. Les salariés peuvent aussi en prendre une petite partie.

En achetant des privatisées, réalise-t-on une bonne affaire ?

Difficile à dire. Pour le moment, non. Car la Bourse a beaucoup baissé depuis de nombreux mois. Elle a perdu 18 % depuis le début de l'année. Résultat : pratiquement toutes les privatisations de ces derniers mois ont vu leur cours s'inscrire en dessous du prix de l'offre publique de vente. Ceci dit, la Bourse peut toujours remonter. Dans ce domaine, rien n'est vraiment assuré.

4. Analyser la composition d'un fonds de commerce *(p. 59)*

Extrait de la conférence de Mme Catherine Leblanc

En France, la propriété du nom s'acquiert à l'enregistrement auprès de l'INPI, l'Institut national de la propriété industrielle. Les frais d'enregistrement s'élèvent à 1200 F et la protection est valable pour dix ans.

Pour trouver le nom approprié, le nom qui va distinguer votre produit de tous les autres, il existe, disons, trois possibilités. D'abord, chacun peut bien entendu faire appel à son imagination. C'est la méthode la plus ancienne, mais elle n'est pas sans limite. On peut aussi utiliser l'informatique et plus particulièrement un logiciel d'anagrammes. Ou alors, dernière possibilité : on peut faire appel à un cabinet extérieur, spécialisé dans ce type de travail, qui vous demandera, selon ce que vous voulez, entre 15 000 et 25 000 francs. Je n'envisage pas ici une quatrième possibilité, qui est de loin la plus coûteuse et qui consiste à racheter une marque déjà déposée.

Ceci dit, on ne peut pas choisir n'importe quoi, n'importe quel nom. La marque ne doit pas être déceptive ou, si vous préférez, elle ne doit pas être trompeuse. Elle ne doit tromper le public ni sur l'origine du produit ni sur sa nature.

La marque ne doit pas non plus être descriptive. Ce qui veut dire qu'elle ne doit pas décrire l'objet qu'elle désigne, comme le serait par exemple la marque « Savon » pour désigner un savon. C'est ainsi que nous avons récemment refusé, à l'INPI, l'enregistrement de la marque « Les Affaires » pour un journal traitant d'économie.

Imaginons maintenant que vous teniez votre marque ou, mieux, que vous ayez établi une liste de noms possibles. Ce qu'il vous faut faire maintenant , c'est vérifier que ces noms sont disponibles. Autrement dit, il faut vous assurer qu'il n'existe pas d'autres marques identiques ou ressemblantes au(x) noms que vous aurez choisi(s). C'est ce que nous appelons, dans notre jargon, la recherche d'antériorité.

Car si nous vérifions bien, à l'INPI, que la marque n'est ni déceptive, ni descriptive, ni contraire aux bonnes mœurs, par contre, nous ne nous occupons pas de disponibilité. Autrement dit, nous ne faisons aucune recherche d'antériorité. C'est donc à celui qui dépose la marque de le faire. En théorie, cette recherche d'antériorité n'est pas obligatoire, mais elle est vivement conseillée. Car celui qui utilise une marque déjà protégée peut être poursuivi pour contrefaçon et sachez que les litiges sur les marques sont nombreux et qu'ils coûtent cher.

Le risque est d'autant plus important en France que près d'un million de marques ont déjà été déposées et que dans ces conditions, il n'est pas si facile de trouver un nom qui soit à la fois original et disponible.

Des conseils en marque font des recherches d'antériorité. Il faut compter autour de 5 000 francs pour une recherche sérieuse. C'est cher, mais c'est moins cher qu'un procès. Il existe également des créateurs de noms, qui proposent un service complet, avec vérification de la disponibilité de la marque, et ceci, pour un coût de 50 000 F environ. Pour une jeune entreprise au budget serré, mais aux ambitions exportatrices, cette démarche évitera des erreurs, des erreurs du type de celle qu'a commise Fiat en créant le modèle Nova, qui signifie « ne fonctionne pas » en espagnol. Bien choisi, un mot qui se comprend dans plusieurs langues induit évidemment des économies d'échelle importantes, si du moins on compte asseoir sa marque à l'étranger.

4 Les obligations

1. Distinguer les différentes obligations *(p. 65)*

Plaidoirie de maître Campion, avocat des demandeurs

L'obligation de ponctualité de la SNCF découle à l'évidence de deux documents contractuels. Le premier, c'est le cahier des charges, qui prévoit explicitement une obligation de ponctualité à sa charge. L'article

1er de ce document dispose en effet que la SNCF, qui, ne l'oublions pas, est une entreprise publique, a pour mission, je cite, *« d'exploiter les services ferroviaires sur le réseau dans les meilleures conditions de sécurité, d'accessibilité, de confort et de ponctualité »*.

Un autre document, c'est le contrat de transport lui-même. Car cette obligation de ponctualité fait partie intégrante des engagements annoncés à maints endroits et à maintes reprises par la SNCF elle-même.

Je m'explique. Cet engagement ressort, d'abord et de manière évidente, des fiches horaires, qui sont distribuées sur tout le réseau et qui toutes contiennent des informations très précises sur les heures de départ et sur les heures d'arrivée des trains. Il n'est nulle part envisagé, dans ces fiches, l'éventualité de quelconques retards.

Il faut ajouter, d'autre part, que cet engagement de ponctualité est annoncé par le transporteur à grand renfort de publicité. « L'horaire garanti » est même devenu l'engagement le plus important de sa campagne publicitaire. « Préférez le train », nous dit la SNCF, « préférez le train à tout autre mode de transport, car vous êtes certains, avec nous, d'arriver à l'heure ». Comment peut-on, comment ose-t-on aujourd'hui contester devant les tribunaux une obligation qu'on affiche dans toutes les gares !

Bref, la ponctualité apparaît clairement comme une obligation volontairement assumée par la SNCF dans le but de fidéliser sa clientèle. Elle découle donc aussi bien du cahier des charges que du contrat de transport. Et les techniques ferroviaires sont aujourd'hui si perfectionnées que le voyageur qui acquitte son billet peut s'attendre à arriver à destination sain et sauf et aussi selon l'horaire prévu.

Plaidoirie de l'avocat du défendeur

Selon la partie adverse, la justification de cette obligation de ponctualité se trouverait en premier lieu dans le cahier des charges et plus particulièrement dans son article 1er. Cet argument n'est pas sérieux. Pourquoi ?

D'après l'article 1er du cahier des charges, nous dit-on, la SNCF doit exploiter le service ferroviaire dans, je cite, *« les meilleures conditions de sécurité, d'accessibilité, de confort et de ponctualité »*. Mais que signifie cette disposition ? Si elle exprime, comme veulent nous le faire croire les demandeurs, une obligation de sécurité, pourquoi alors ne pas imposer aussi à la SNCF une obligation de confort ? Après tout, n'y est-il pas fait référence aussi bien à la ponctualité des trains qu'au confort des voyageurs ? Mais alors imaginez les réactions des voyageurs de certains trains surchargés ! Imaginez le nombre infini de procès auquel donnerait lieu une pareille solution ! Non, décidément, ce premier argument des demandeurs n'est pas sérieux.

3. Examiner les principaux contrats *(p. 73)*

Entretien 1

– Société Répartout, bonjour.

– Bonjour, c'est madame Dupont à l'appareil. Je vous appelle parce que j'ai un problème avec mon ordinateur. Est-ce que vous réparez les ordinateurs ?

– Bien sûr, madame, de quoi s'agit-il ?

– Voilà, c'est la batterie, elle ne se charge plus.

– La batterie ? C'est un portable, votre ordinateur ?

– Oui, exactement.

– Il faut probablement changer le fusible.

– Le fusible.. ah bon... ça coûte cher, le fusible ?

– Le fusible ne coûte presque rien, mais il faut compter environ 300 F de main-d'œuvre.

– Avec la TVA ?

– 300 F TTC.

– Et c'est long ?

– Pardon ?

– Quels sont les délais de réparation ?

– En ce moment, il faut compter trois jours.

– D'accord. Je vous l'apporte dans la journée.

– À plus tard, donc.

– Au revoir.

Entretien 2

– Allô !

– Allô, Compagnie Air France, je vous écoute.

– Bonjour, madame. Je voudrais réserver une place en classe affaires sur le vol Paris-Florence pour après-demain.

– Pour dimanche, alors, le dimanche 20 mai.

– Oui, c'est ça.

– Vous préférez le matin ou l'après-midi ?

– J'aimerais partir le dimanche soir, vers 17 heures.

– Alors... il y a un vol direct, le vol AF 135, qui part de Paris à 17 h 15 et qui arrive à Florence à 19 h 35.

– C'est parfait. Vous pouvez me réserver une place sur ce vol.

– Je réserve à quel nom ?

– Au nom de M. Taravant, Paul Taravant.

– Vous m'avez bien dit « classe affaires » ?

– Oui, et il me faudrait aussi une place pour le retour.

– Pour quelle date ?

– Pour le mercredi 23 mai, après 15 heures.

– Je vous propose un vol qui part à 16 h 45 et qui arrive à 19 heures à Paris. C'est le vol AF 232.

– C'est très bien.

– C'est enregistré, monsieur. Vous pouvez retirer votre billet à nos guichets à partir d'aujourd'hui.

– Une dernière question : quel le prix du voyage ?

– En classe affaires, ça nous fait... pour l'aller retour : 3 895 F.

– Merci, madame, au revoir.

– Au revoir, monsieur, à votre service.

Entretien 3

– Société Haut-Brane, bonjour !

– Allô !... Je suis monsieur Videlier, de l'Épicerie Parisienne. Pourrais-je parler à Mme Bardot, du service des ventes ?

– C'est elle-même. Que puis-je faire pour vous, monsieur Videlier ?

– Je voudrais savoir si vous pourriez me livrer pour la semaine prochaine 40 bouteilles de votre château margaux 91 ?

– Celui que nous vous avons livré il y a deux semaines ?

– Oui, c'est bien ça.

– Restez en ligne... je dois demander au service des expéditions... *(Quelques instants plus tard)*... Bien, nous pourrions vous livrer jeudi. Est-ce que ça irait, jeudi ?

– Oui, oui, c'est très bien.

– Alors, nous disons donc : 40 bouteilles de château margaux...

Pouvez-vous me rappeler la référence exacte ?

– Référence BCM 91 900. La bouteille est au prix de 21,30 F.

– BCM 91 900 – 21,30 F. C'est noté. Je suppose que c'est aux conditions habituelles de paiement ?

– Absolument. À 30 jours fin de mois de livraison.

– Eh bien, c'est entendu, monsieur Videlier. Vous pouvez compter sur nous.

– Je vous confirme tout de suite cette commande par écrit. Au revoir, madame, et merci.

– Au revoir.

5 La vie des affaires

1. Choisir une forme de société (p. 83)

Conseils de Chantal

Chantal : Oui, je crois que nous aussi, on va créer notre entreprise. Et justement, c'est pour ça que je t'appelle, pour te demander quelques conseils.

Françoise : Oh, tu sais, je n'ai pas encore beaucoup d'expérience.

Ch. : En tout cas, tu en sais déjà plus que moi. Est-ce que tu pourrais juste me dire, en deux mots, pourquoi vous avez choisi la SARL ?

Fr. : Pourquoi la SARL ?

Ch. : Oui, pourquoi pas une autre société, comme la société en nom collectif, par exemple ?

Fr. : Oh, la société en nom collectif, ça ne fait pas très sérieux.

Ch. : Pas très sérieux ? C'est la première fois que j'entends ça.

Fr. : Ce que je veux dire, c'est que quand tu dis « SARL », SARL Abimax, c'est tout de suite autre chose, ça fait plus respectable que « Abimax et Cie ».

Ch. : Oui, bon, admettons. Mais alors, pour faire encore plus sérieux, vous auriez dû opter pour la société anonyme.

Fr. : Il ne faut rien exagérer. La société anonyme, c'est une structure trop lourde pour nous.

Ch. : Trop lourde ?

Fr. : Oui, tu nous imagines réunissant un conseil d'administration, avec Jacques comme P-DG.

Ch. : C'est vrai que pour trois personnes…

Fr. : Et puis, justement, la société anonyme, ce n'est pas possible parce que nous ne sommes que trois et qu'il faut être au minimum sept.

Ch. : Oui, bon, alors, pourquoi la SARL ?

Fr. : À vrai dire, on a tout bêtement suivi les conseils de Pierre.

Ch. : Pierre ?

Fr. : Oui, c'est un ami de Jacques.

Ch. : Ah oui, le juriste !

Fr. : C'est ça, il travaille à Rennes comme conseil juridique.

Ch. : Alors, donc, pourquoi est-ce qu'il vous a conseillé la SARL ?

Fr. : D'après lui, la SARL est bien adaptée aux petites entreprises. C'est une structure avec un gérant, assez légère, quoi. Il dit que c'est une société passe-partout, du moins pour des gens comme nous.

Ch. : Comment ça, des gens comme vous ?

Fr. : Oui, enfin, il veut dire, des gens qui démarrent une activité. Il dit que le fonctionnement de la SARL est plutôt simple et que, comparé à la société anonyme, il n'y a pas beaucoup, enfin, pas trop de formalités juridiques et comptables.

Ch. : Ça, c'est une bonne chose.

Fr. : Un autre avantage de la SARL, c'est que la mise de départ n'est pas très importante.

Ch. : Tu veux dire, le capital ?

Fr. : Oui, c'est ça, le capital minimum. 50 000 francs, ce n'est pas une fortune, surtout quand on est trois. Et puis, en plus, notre responsabilité financière est limitée, ça, c'est tout de même intéressant, enfin, en théorie.

Ch. : Comment ça, en théorie ?

Fr. : Je dis ça parce que Jacques a demandé un prêt bancaire au nom de la société et la première chose que la banque lui a demandé, c'est de se porter caution.

Ch. : Si je comprends bien, c'est lui qui devra rembourser la banque s'il y a un problème.

Fr. : Exactement, donc, tu vois, en pratique, la responsabilité des associés n'est pas aussi limitée que ça.

Ch. : Et pour les impôts, ça se passe comment ? On m'a dit de faire attention à la fiscalité.

Fr. : Oui, c'est vrai. Ce qu'il y a de bien avec la SARL, enfin, avec une petite SARL comme la nôtre, c'est que tu as le choix entre l'impôt sur les sociétés et l'impôt sur le revenu.

Ch. : Et c'est un avantage, ça ?

Fr. : Oui, parce que tu peux choisir.

Ch. : Et qu'est-ce qu'il faut choisir ?

Fr. : Nous, on a opté pour l'impôt sur les sociétés, mais, en fait, ça dépend des cas. Toujours est-il que tu as le choix.

Ch. : C'est compliqué.

Fr. : Oh, tu exagères ! Si tu veux, je peux te mettre tout ça par écrit, dans une lettre.

Ch. : Je ne dis pas non.

Fr. : Alors, c'est entendu, je t'envoie une lettre aujourd'hui. Et dis-moi, comment va Bertrand ?

Ch. : Très bien, mais il travaille comme un fou…

6 Les relations du travail

1. Analyser la formation du contrat de travail (p. 97)

Discussion entre M. Bernard et M. Leroux

M. Bernard : Je travaille ici depuis pas mal d'années. Je suis entré dans la société en 1994, le 3 mars exactement. Je me rappelle, c'était le jour même où j'ai signé mon contrat. À cette époque, on était seulement deux vendeurs.

M. Leroux : Vous êtes vendeur, alors ?

M. Bernard : Oui, c'est ça. Mon métier, ça a toujours été la vente. Ou plus précisément, le courtage.

M. Leroux : Le courtage ?

M. Bernard : Oui, je fais du courtage, c'est-à-dire que je mets en relation des vendeurs et des acheteurs. Généralement, les agents immobiliers sont des courtiers, des intermédiaires, si vous préférez. À l'époque, j'étais chargé de prospecter tout Paris.

M. Leroux : Vous cherchiez des appartements dans toute la ville ?

M. Bernard : Oui, enfin, moi, je ne m'occupais que des locaux professionnels.

M. Leroux : C'est-à-dire ?

M. Bernard : C'est-à-dire les bureaux, les magasins. Mon collègue, lui, s'occupait des locaux d'habitation. De vieux souvenirs…

M. Leroux : Et c'était difficile ?

M. Bernard : Au début, oui. Les trois mois de la période d'essai ont été les plus difficiles.

M. Leroux : Et maintenant ?

M. Bernard : Maintenant, j'ai plus d'expérience.

M. Leroux : Je peux vous demander combien vous gagnez ?

M. Bernard : Ah, c'est très variable. Nous, les vendeurs, on reçoit un fixe de 2 000 francs par mois. Ça n'a pas changé depuis le début.

M. Leroux : 2 000 francs, c'est tout ?

M. Bernard : Oui, mais attendez, ce qui compte vraiment, ce sont les commissions. Je reçois 3 % sur mon chiffre d'affaires. Il y a des mois où je ne vends rien du tout, même si j'ai beaucoup travaillé.

M. Leroux : Et vous travaillez beaucoup ?

M. Bernard : Pas mal, oui, 50 heures par semaine, quelquefois plus, ça dépend des semaines. En fait, je m'organise comme je veux. C'est d'ailleurs écrit en toutes lettres dans mon contrat de travail : « Monsieur Leroux doit respecter le règlement intérieur, mais reste libre d'organiser son emploi du temps. » Quelque chose comme ça. En fait, ils savent bien que je dois travailler comme un fou, si je veux gagner ma vie.

2. Établir les conditions du licenciement *(p. 101)*

Geneviève Martin : Les temps ont changé. Le droit du travail n'est plus adapté aux réalités d'aujourd'hui.

Bruno Lévêque : Le droit du travail vise à protéger le salarié. Croyez-vous donc qu'il ne soit plus nécessaire aujourd'hui de protéger les salariés ?

GM : Le problème, c'est qu'aujourd'hui, le droit du travail freine le développement économique du pays. Voilà la situation.

BL : Étant donné le chômage actuel, je dirais, moi, que les travailleurs sont en situation d'extrême faiblesse et qu'ils doivent être plus que jamais protégés.

GM : Mais vous voulez protéger les salariés contre quoi ?

BL : Comment ça, contre quoi ? Contre la précarité, contre l'injustice, contre les licenciements abusifs. Qu'est-ce que vous voulez ? Supprimer le droit du travail ?

GM : Le supprimer, non. Mais le réformer, oui.

BL : Je me méfie de vos réformes.

GM : En tout cas, laissez-moi vous dire que ce n'est pas en interdisant les licenciements que vous arrangerez les choses. Au contraire, plus on rend les licenciements difficiles, plus on dissuade les employeurs d'embaucher et plus on augmente le chômage. Ce qu'il faut, au contraire, c'est laisser plus de libertés aux employeurs. De cette façon vous les incitez à embaucher et vous leur permettez de s'adapter aux nouvelles réalités économiques.

BL : Vous parlez de nouvelles réalités économiques. Mais il faut voir où elles nous mènent, ces nouvelles réalités économiques.

GM : Monsieur Lévêque, avez-vous entendu parler de la révolution technologique ?

BL : Oh, que trop !

GM : Eh bien il se trouve que cette révolution technologique modifie l'organisation, voire le contenu même du travail. Or le droit du travail s'appuie sur des principes du début du siècle, qui ont perdu leur pertinence. Le modèle de l'emploi à durée indéterminée, à temps complet, un métier pour toute la vie, tout ça est bien terminé.

BL : Ce que vous dites là est à peine croyable et c'est aussi très dangereux. Si je comprends bien, pour vous, le contrat de travail à durée déterminée, la précarité, le temps partiel, tout ça est finalement bien normal.

GM : Ce que je veux dire, c'est que le droit du travail a été élaboré à une époque où les relations entre employeurs et salariés étaient différentes, une époque de production de masse, avec une organisation taylorienne du travail. Je vous rappelle qu'en France, au début des années 30, 60 % des salariés étaient des ouvriers. Je dis bien 60 %. À cette époque, le contrat de travail à durée indéterminée était sans doute fort bien adapté. Les salariés travaillaient pour une seule entreprise, six jours par semaine, de telle heure à telle heure. Ils exerçaient pendant toute leur vie un seul et même métier. Mais les choses ont changé.

BL : C'est vrai que les choses ont changé, mais il faut voir comment. Des chômeurs toujours plus nombreux, des salariés stressés qui peuvent perdre leur emploi du jour au lendemain, des contrats de travail à durée déterminée, des intérimaires, des stagiaires, voilà comment les choses ont changé.

GM : Non, ce n'est pas ça. Ou, du moins, ce n'est pas la meilleure façon de présenter les choses. La situation actuelle, c'est que de nombreux salariés aujourd'hui travaillent pour plusieurs employeurs à la fois, qu'ils doivent même ou qu'ils devront exercer plusieurs métiers différents durant leur vie active. La réalité, c'est que le monde du travail change, monsieur Lévêque, et demande une certaine flexibilité.

BL : Cette fameuse flexibilité…

GM : Parfaitement, monsieur Lévêque, celle-là même. Par exemple, la flexibilité du temps de travail, des horaires de travail, qui sont de plus en plus irréguliers.

BL : Je ne vous le fais pas dire.

GM : C'est que le temps de travail qui est encore la référence pour calculer, par exemple, la rémunération, eh bien, le temps de travail n'est plus un critère pertinent, ou du moins, n'est plus le seul critère pour la relation de travail. Qui connaît le temps de travail d'un chercheur, d'un enseignant, d'un journaliste, d'un cadre supérieur ? Tous les intéressés vous diront que le temps de présence n'est pas l'essentiel, que ce qui importe, c'est l'investissement intellectuel ou même affectif, et que cet investissement-là n'est pas mesurable en temps. En fait, on demande aujourd'hui au salarié d'arriver à un certain résultat et c'est le résultat qui compte, c'est pour ça qu'il est rémunéré et pas – ou alors de moins en moins – en fonction du temps qu'il passe. Dans bien des activités conceptuelles, il devient d'ailleurs impossible de savoir où commence et où s'arrête le travail.

BL : Tout le monde n'a pas la chance d'avoir une activité conceptuelle, d'être chercheur ou cadre supérieur.

GM : C'est vrai, mais ce que je veux dire, c'est que dans les sociétés modernes, grâce à l'informatique, le travailleur est de plus en plus impliqué dans des activités conceptuelles. L'ordinateur est en train de détruire les anciens modes d'organisation du travail et il ne sert à rien d'aller contre ça. Le droit du travail ne peut pas et ne doit pas aller contre cette évolution. Ce qu'il faut, c'est adapter le droit du travail.

BL : Et l'homme dans tout ça, qu'en faites-vous, de l'homme, madame Martin ? Le travailleur, que devient-il dans votre nouveau code du travail ?

GM : D'abord, il faut lui donner les moyens de s'adapter au changement en lui permettant d'apprendre toute sa vie. Je crois qu'il est important de placer la formation permanente au cœur de la relation de travail. Mais pour cela, il faut inventer un nouveau contrat de travail.

BL : Pardon ?

GM : Oui, il faut imaginer un nouveau type de relation entre l'employeur et le salarié, une relation qui serait peut-être plus proche du droit commercial que du droit du travail.

BL : Ah oui, je vous vois venir. Une relation entre un client et son fournisseur.

GM : Oui, le salarié deviendrait une sorte de prestataire de service.

BL : Et l'employeur deviendrait un client. C'est bien ce que je disais, vous voulez en finir avec le droit du travail.

3. Définir le droit de grève *(p. 105)*

Exposé de la conférencière

Quand on parle du syndicalisme français, il faut d'abord mettre en avant un principe important : c'est celui de la liberté syndicale. La liberté syndicale, c'est d'abord le droit pour chacun d'adhérer au syndicat de son choix ou alors – tout aussi important – le droit de n'adhérer à aucun syndicat. En France, d'ailleurs, pas plus de 10 % des salariés appartiennent à un syndicat, ce qui est très peu, comparé, du moins, à certains pays comme la Suède où le taux de syndicalisation est de l'ordre de 85 %. Mais il est vrai qu'en France, quand un syndicat passe un accord avec l'employeur, tous les salariés profitent de cet accord et pas seulement ceux qui sont syndiqués. La liberté syndicale, c'est aussi la liberté pour chacun de créer un syndicat. Les formalités sont simples. Celui qui veut créer un syndicat en France doit simplement déposer les statuts à la mairie, avec le nom des dirigeants.

Il existe en France très peu de syndicats de métiers. Les travailleurs se regroupent le plus souvent par zone géographique ou par branche professionnelle. Il existe plus précisément trois grands types de structures syndicales : les unions, les fédérations et les confédérations. Les unions regroupent les syndicats d'une ville, d'un département ou alors d'une région. Les fédérations regroupent, au plan national, les syndicats d'une même branche d'activité, comme, par exemple, la fédération CGT du bâtiment. Quant aux confédérations, qu'on appelle aussi des centrales syndicales, elles réunissent, au niveau national, les unions et les fédérations.

Je vous ai dit que quiconque pouvait créer un syndicat, mais, évidemment, tous les syndicats ne sont pas également représentatifs. Certains sont considérés comme plus représentatifs que d'autres. Seuls les syndicats les plus représentatifs ont le droit de participer à des négociations collectives avec l'employeur et de signer valablement une convention collective ou un accord d'entreprise.

Au niveau national, un arrêté ministériel a accordé la représentativité à cinq grandes confédérations et la représentativité est toujours accordée – automatiquement accordée, si je puis dire – aux syndicats affiliés à l'une de ces cinq confédérations.

Dans les autres cas, la représentativité d'un syndicat s'apprécie au regard d'un certain nombre de critères. Un premier critère, c'est celui des effectifs, qui doivent être suffisamment importants. Avec le montant des cotisations, par exemple, on peut avoir une idée assez précise du nombre d'adhérents. Un second critère, c'est l'indépendance du syndicat. Je veux parler ici de l'indépendance du syndicat par rapport à l'employeur. Un syndicat qui serait trop lié à l'employeur serait considéré comme suspect et donc comme non représentatif. Enfin, plus un syndicat a d'expérience et d'ancienneté, plus il a de chance d'être considéré comme représentatif. En résumé, la représentativité s'apprécie donc à l'aide de ces critères – importance des effectifs, indépendance, expérience et ancienneté. Ceci dit, pour être considéré comme représentatif, un syndicat n'a pas besoin de répondre parfaitement à tous ces critères.

Après ce bref exposé, je suis à votre disposition pour répondre à vos questions.

Question du public : Quelle différence y a-t-il entre le syndicalisme français et le syndicalisme d'autres pays européens ?

Réponse de la conférencière : Il y en a beaucoup. De plus, dans chaque pays, les syndicats ont leurs propres spécificités.

Public *(la même personne,)* : Oui, mais y a-t-il une différence marquante, une différence majeure ?

Conférencière : Ce que je peux dire, c'est que le syndicalisme français est dans l'ensemble extrêmement conservateur et qu'il reste très marqué par des positionnements d'idées, d'idéologie, plutôt que par la recherche de solutions pragmatiques. En ce sens, il est extrêmement différent des autres syndicalismes européens.

Public *(autre personne)* : Je voudrais savoir s'il existe un profil type du syndicaliste dans tous les pays de l'Union européenne.

Conférencière : Bon, dans tous les pays européens, les syndicats sont depuis toujours et encore aujourd'hui composés principalement d'ouvriers qualifiés, d'hommes plutôt que de femmes. Il y a aussi moins de jeunes. On peut dire encore que les syndicats attirent plus dans l'industrie que dans les activités de service. Pour répondre brièvement à votre question, on peut dire que le syndicaliste européen, qu'il soit français, italien, allemand, est, grosso modo, un homme, d'un certain âge, travaillant dans l'industrie et travaillant comme ouvrier qualifié.

Public *(troisième personne, avec accent anglais)* : On dit que, partout dans le monde, et particulièrement en Europe, les syndicats sont en perte de vitesse, qu'ils sont de moins en moins représentatifs. Qu'en est-il des syndicats français ?

Conférencière : En France, les syndicats restent extrêmement puissants dans le secteur public. Par contre, c'est vrai qu'ils ont énormément perdu de leur influence dans le secteur privé. Dans les petites et moyennes entreprises, il n'y a quasiment plus de syndicats. À mon sens, cette perte d'influence est principalement due à leur trop grande rigidité. Dans la plupart des pays européens, les syndicats cherchent à s'adapter aux mutations économiques et sociales. Ici, par exemple, en Grande-Bretagne, les syndicats renaissent sous une autre forme. Ils sont là aujourd'hui pour aider les salariés dans l'entreprise, ils aident le salarié à gérer sa carrière, sa reconversion, à négocier son contrat de travail. Bref, ils rendent tout un tas de petits services individuels. Ce n'est pas le cas des syndicats français ou du moins de la plupart d'entre eux. Il est intéressant d'ailleurs de remarquer que c'est dans les pays où les syndicats sont les plus novateurs, les plus imaginatifs, qu'ils se défendent le mieux et qu'ils attirent le plus de salariés.

Corrigés des activités

1 Le cadre de la vie juridique

1. Distinguer les différentes branches du droit *(p. 8)*

1. Comment dire

Art. 4. : juge, juger, loi, poursuivre, coupable, déni de justice. **Art. 1156.** : convention, intention, partie contractante. **Art. 1158** : contrat. **Art. 1188.** : débiteur, bénéfice du terme, faire faillite, fait, sûreté, contrat, créancier.

Coupable : celui qui a commis une infraction. *Déni de justice :* délit consistant pour tout juge à refuser de rendre la justice. *Bénéfice du terme :* droit pour le débiteur d'attendre la date fixée pour le paiement (le mot « terme » a un sens juridique seulement dans l'art. 1188). *Faire faillite :* cesser de payer. *Fait :* comportement. *Sûreté :* garantie fournie à un créancier par une personne (sûreté conventionnelle) ou par la loi (sûreté légale). Pour les autres termes, cf. index lexical.

2. Trouver la bonne branche

2. droit commercial. **3.** pénal. **4.** constitutionnel. **5.** international privé. **6.** travail. **7.** civil. **8.** international public. **9.** civil. **10.** administratif. **11.** travail. **12.** commercial pénal. **13.** pénal. **14.** administratif.

3. Comparer des situations de communication

1. Messages oraux

a. *Émetteur :* 1. Président de la république. 2. Professeur de droit. 3. Employé(e) de bureau. 4. Avocat. 5. Maire. 6. Syndicaliste.

b. *Destinataire(s) :* 1. Citoyens (télespectateurs). 2. Étudiants. 3. Collègues de travail. 4. Jurés d'assises. 5. Épouse. 6. Employeur(s).

c. *Branche du droit :* 1. Droit constitutionnel. 2. civil. 3. travail. 4. pénal. 5. civil. 6. travail.

2. Messages écrits

a. *Document :* 7. Reconnaissance de dettes. 8. Note de service. 9. Décision de justice. 10. Lettre. 11. Article de presse. 12. Texte de loi. 13. Conditions générales de vente.

b. *Destinataire(s) :* 7. Créancier. 8. Chefs de service. 9. Parties au procès. 10. Administration des impôts. 11. Lecteurs du journal. 12. Cocontractants. 13. Clients.

c. *Branche du droit :* 7. Droit civil. 8. travail. 9. commercial. 10. fiscal. 11. pénal. 12. civil. 13. civil (droit des contrats) et commercial.

3. Messages juridiques

a. Consultation, Premier ministre, président du Sénat, président de l'Assemblée nationale, dissoudre, Assemblée nationale, droit des biens, licencier, crime, revendications, grève, congés payés, motifs, statuant, contradictoirement, déboute, société, demandes, demande reconventionnelle, déclaration de la TVA, condamné, prison, sursis, prise illégale d'intérêts, député, amende, fonction publique, Code civil, déroger, conventions, lois, ordre public, bonnes mœurs, article, commandes.

b. Bien que les messages 5 et 7 ne contiennent aucun terme juridique, ils appartiennent au langage du droit parce que le discours est juridique. D'après G. Cornu (*Linguistique juridique*, Éd. Montchrestien, page 21), « La juridicité du discours tient à sa finalité. Est juridique tout discours qui a pour objet la création ou la réalisation du droit ». Les messages 5 et 7 appliquent à une situation particulière des règles de droit : droit civil du mariage (message 5) et droit des contrats (message 7). Ils ont donc pour objet la « réalisation du droit ».

2. Découvrir les institutions politiques nationales *(p. 12)*

1. Comment dire

(1) se réunit ; (2) s'ouvre ; (3) sont ; (4) comprend ; (5) dure ; (6) se renouvelle ; (7) veille à ; (8) examine ; (9) proclame.

2. Examiner les pouvoirs du président

Vrai : 1, 2, 4, 8 – Faux : 3, 5, 6, 7, 9

3. Analyser la Constitution

En France : **1a.** Le Premier ministre – **1b.** Le président de la République – **1c.** Implicitement, du moins, devant l'Assemblé nationale (Art 49 de la Constitution) – **2a.** Suffrage universel direct pour l'Assemblée nationale et indirect pour le Sénat – **2b.** Pour répondre, il faut se reporter à la loi organique de l'art. 25 (mandat de 5 ans pour les députés, mandat de 9 ans pour les sénateurs) – **2c.** Oui, par le président de la République – **3a.** Le Premier ministre et les membres du Parlement – **3b.** Non (art. 39) – **4a.** Sur son programme ou sur le vote d'un texte de loi (art. 49) – **4b.** L'Assemblée nationale. Signature d'1/10 des députés. – **4c.** Si adoptée : démission du gouvernement. Si rejetée : programme ou texte du gouvernement adopté.

3. Découvrir les institutions de l'Union européenne *(p. 16)*

1. Comment dire

(1) est formé ; (2) est exercée ; (3) sont acquises ; (4) est assisté ; (5) est nommé ; (6) être modifié ; (7) être déclaré ; (8) est saisie ; (9) est fixé ; (10) sont signées ; (11) publiées.

2. Séparer les pouvoirs

Conseil : 2, 3, 8 ; Commission : 1, 6 ; Parlement : 4, 6, 7 ; CJCE : 5

3. Débattre autour des institutions europénnes

1. Êtes-vous pour ou contre la confidentialité ?

a. Pour : les pays fondateurs. Le Conseil est une instance de négociation et on ne peut pas négocier sans un minimum de discrétion – Contre : les pays du Nord (Suède, Finlande, Pays-Bas, Royaume-Uni). La démocratie exige une certaine transparence.

b. Décision contre : Le tribunal donne raison au Guardian. – Décision pour : le Tribunal ne reproche pas au Conseil de ne pas avoir fourni les documents, mais seulement de ne pas avoir motivé son refus.

2. Les institutions européennes sont-elles démocratiques ?

a. *Proposition de corrigé :* (1) Alors que les ministres ne sont pas des élus, peut-on considérer le Conseil comme une institution démocratique ? (2) Que pensez-vous du reproche qui est fait au Conseil de légiférer dans le secret ? (3) Pensez-vous que le citoyen moyen, qu'il soit allemand, espagnol ou italien, se sente véritablement concerné par l'Union européenne? (4) Les traités ne sont-ils pas écrits dans un style trop technique, difficilement accessible au citoyen ordinaire? (5) Y a-t-il, dans les institutions européennes, une nette séparation des pouvoirs législatif, judiciaire, exécutif?

b. Chacune des réponses de M. Janin apporte, dans le même ordre, un argument contradictoire à chacune des réponses de Mme Le Baill.

4. Dégager les sources du droit *(p. 20)*

1. Comment dire

(1) est statué; (2) est établi; (3) est fait référence; (4) est alloué; (5) est adjoint; (6) est institué; (7) est dérogé.

2. Relier la règle à son auteur

a. 1c; 2a; 3e; 4c; 5g; 6c; 7b; 8f; 9d.

b. Le Parlement *vote* les lois. Les juridictions *rendent* des jugements. Le président de la République *négocie* et *ratifie* les traités. Les professeurs de droit *écrivent* les textes doctrinaux. Une majorité de commerçants *suit* les règles coutumières.

3. Relier la loi nationale au droit communautaire

1. L'élaboration de la loi nationale

a. Le Premier ministre a l'initiative de la loi. Le Conseil des ministres adopte le projet de loi. Le Conseil d'État examine le projet de loi et donne un avis. Le Parlement approuve (vote) la loi. La Commission mixte paritaire met au point un texte commun. L'Assemblée nationale statue seule si le désaccord entre les deux chambres persiste. Le Conseil constitutionnel vérifie la conformité de la loi à la Constitution. Le président de la République promulgue la loi.

2. La place du droit communautaire

a. 1er principe: applicabilité directe du droit communautaire; 2e principe: primauté du droit commmunautaire sur le droit national.

b. 1er principe: 2, 3, 4; 2e principe: 1, 5.

c. L'article 52 du traité CEE est-il directement applicable? Oui (cf. cours de M. Janin). M. Reyners pourra donc travailler en Belgique.

2 Les acteurs de la justice

1. Découvrir les juridictions judiciaires *(p. 26)*

1. Comment dire

a4; b5; c7; d2; e6; f1; g3.

2. Poursuivre en justice

1. Civil; Mme Rital; M. Rital; TGI – **2.** Travail; M. Bert; employeur; conseil de prud'hommes – **3.** Pénal; ministère public; M. Lupin; tribunal correctionnel – **4.** Commercial; Société Haut-Brane; Établissements Videlier; tribunal de commerce – **5.** Civil; M. Proprio; locataire; tribunal d'instance – **6.** Travail; M. Bert; employeur; cour d'appel – **7.** Pénal; Tony Cointre; ministère public; Cour d'assises – **8.** Pénal; Tony Cointre; ministère public; Cour de cassation (chambre criminelle).

3. Rendre un jugement

1. Comment analyser une décision de justice

1. TGI – **2.** Demandeur: Pierre Lebrun; défendeur: Julien Divon – **4.** Lebrun demande réparation du préjudice; Divon conclut au débouté de la demande – **5.** Lebrun prétend que Divon est responsable; Lebrun répond qu'il avait dégagé sa responsabilité – **6.** Divon est-il responsable? Pouvait-il dégager sa responsabilité? – **7.** Divon responsable doit réparer le préjudice. – **8.** Contrat entre Lebrun et Divon assimilable à un contrat de transport. Obligation de sécurité. Divon ne peut pas dégager sa responsabilité par avance. Critique: l'assimilation au contrat de transport est un peu «tirée par les cheveux».

2. Comment réformer la justice

a. La justice ne répond pas aux attentes des Français: elle est (trop) lente, (parfois) trop chère, peu compréhensible. **b.** Augmentation de la demande de justice; introduction des nouvelles technologies; rénovation des bâtiments judiciaires et pénitentiaires. **c.** Redéfinir les missions essentielles du juge; mettre en place une formation permanente des magistrats; réformer la carte judiciaire; simplifier les procédures (pour raccourcir les délais, faciliter l'accès au droit et à la justice, garantir l'exécution des décisions); prévenir les procès ou traiter autrement les conflits: par exemple, en recourant à la conciliation ou à la médiation, en évitant de trop faire appel au droit pénal.

2. Découvrir les juridictions administratives *(page 30)*

1. Comment dire

1. Les *cours* administratives d'*appel* sont *compétentes* pour *connaître* des *jugements* des tribunaux administratifs.

2. Cf. index lexical

2. Suivre chaque étape de l'instance

a2; b5; c1; d4; e3.

3. Commenter un arrêt du Conseil d'État

1. (1) arrêt; (2) l'administration; (3) droit; (4) juridiction; (5) ministère; (6) demande; (7) frontière; (8) Cameroun; (9) pays; (10) retour; (11) requête; (12) demandeur; (13) protection; (14) l'étranger n'invoque aucune menace dans son pays; (15) son récit est invraisemblable; (16) il présente une demande tardive.

2. 1. Conseil d'État. 2. Demandeur (appelant): ministère de l'Intérieur; défendeur (intimé): Peter Rogers. 3. Peter Rogers est libérien. Il a embarqué clandestinement à bord d'un cargo, dans le port de Douala, au Cameroun. Arrivé à Dunkerque, il demande l'asile politique en France. Sa requête (demande) est rejetée par l'administration. 4. Le ministère de l'Intérieur demande au Conseil d'état de dire que la requête de Peter Rogers était «manifestement infondée» et de confirmer la décision d'expulsion. 5. Moyens de la partie appelante (le ministère): application du principe au «pays tiers d'accueil», principe adopté par deux résolutions du Conseil des ministres européen. 6. L'existence d'un pays tiers d'accueil peut-il suffire à une requête «manifestement infondée»? 7. Devant le tribunal administratif, Peter Rogers est demandeur et l'administration (le ministère de l'Intérieur) est la partie défenderesse. Le tribunal donne raison à Peter Rogers. Le ministère fait appel. Le Conseil d'État, qui est ici juge d'appel, confirme le jugement du tribunal administratif. 8. Les motifs de la décision se trouvent dans le dernier paragraphe de l'article.

3. Vrai: 2, 3. – Faux: 1, 4 (la France en fait une interprétation restrictive), 5 (on peut estimer que le dossier de certains d'entre eux au moins avaient été examiné). *Proposition de résumé :* L'arrêt du Conseil d'État est important parce qu'il va obliger l'administration à mieux traiter un certain nombre de réfugiés. Mais cette décision est de portée limitée dans la mesure où elle ne concerne que les demandes déposées à la frontière. Or tel n'est pas le cas de l'immense majorité des demandes d'asile. Ces dernières sont examinées dans les préfectures et les décisions sont prises discrétionnairement par l'administration, sans contrôle juridictionnel. Par ailleurs, cet arrêt du Conseil d'État ne doit pas nous faire oublier qu'il est de plus en plus difficile d'obtenir le droit d'asile en France. Bien que les conflits sur terre soient très nombreux, la France fait en effet une interprétation restrictive de la convention de Genève : elle n'accorde le droit d'asile qu'à ceux qui sont victimes de persécutions émanant d'un État, ce qui veut dire qu'elle le refuse à ceux qui sont victimes d'un agent autre que l'État.

4. Aucun d'entre eux ne pourra obtenir l'asile politique en France. **Cas 1 :** l'Allemagne, pays tiers d'accueil, a signé la Convention de Schengen. **Cas 2 :** M. Kampong est un réfugié économique. **Cas 3 :** M. Mohammed est victime de persécutions émanant d'un agent autre que l'État.

3. Découvrir les juridictions européennes *(p. 34)*

1. Comment dire

Fav. : 1a, 1c, 1d, 2b, 2c (la Cour de cassation, après annulation de la décision attaquée, renvoie devant une nouvelle cour d'appel), 3b, 3c – Déf. : 1b, 2a, 3a.

2. Trouver la bonne voie

2. renvoi préjudiciel ; **3.** recours en carence ; **4.** recours en carence ; **5.** renvoi préjudiciel ; **6.** recours en annulation ; **7.** recours en annulation ; **8.** recours en manquement.

3. Commenter un arrêt de la Cour de justice européenne

1. Quelles sont vos sources ?

a. Jugement du 4 octobre 1989 du tribunal de police d'Illkirch (France) ; Art. 177 du traité CEE ; art. 5 de la directive 76/207 du Conseil européen du 9 février 1976 ; article L. 213-1 du Code du travail (L = Loi) ; arrêt Hofman du 12 juillet 1984 de la CJCE ;

b. (1) Traité ; (2) Directive ; (3) Loi ; (4) Arrêt ; (5) Jugement.

2. D'où tirez-vous ces informations ?

a9 ; b1 ; c4 ; d16 ; e8 ; f15 ; g18 ; h2 ; i3 ; j14 ; k17.

3. Quelle analyse faites-vous ?

1. CJCE. **2.** Devant le tribunal de police, le demandeur est le ministère public et le défendeur (le prévenu) M. Stoeckel. Devant la CJCE, ni l'un ni l'autre ne sont parties : le juge français pose une question de droit (préjudicielle) au « juge européen ». **3.** Un chef d'entreprise, M. Stoeckel, est poursuivi devant le tribunal français pour avoir fait travailler des femmes la nuit, en infraction à la loi française (art. 213-1 du Code du travail). **4.** Le ministère public demande la condamnation de M. Stoeckel (et M. Stoeckel demande à être relaxé). **5.** M. Stoeckel prétend que l'art. 213-1 est contraire à l'art. 5 de la directive 76/207 (et donc inapplicable). Moyens du ministère public : cf. § 14 de l'arrêt. **6.** Une loi nationale interdisant aux femmes de travailler la nuit contrevient-elle à l'art 5 de la directive ? Problème d'interprétation de la directive (cf. § 3) **7.** Oui, répond la cour (cf. § Par ces motifs, ...). **8.** Motivation de la cour : cf. § 15, 16, 17, 18.

4. Rencontrer des professionnels du droit *(page 38)*

1. Comment dire

1. le réquérant ; 2. le juré ; 3. l'accusé ; 4. l'appelant ; 5. le contractant ; 6. l'associé ; 7. le gérant ; 8. le commerçant ; 9. le consultant ; 10. le détenu.

2. Reconnaître un professionnel

a. (1) juge (magistrat du siège) ; (2) procureur de la République (magistrat du parquet ou magistrat du ministère public) ; (3) avocat ; (4) greffier ; (5) huissier ; (6) notaire ; (7) juriste d'entreprise.

b. (1) témoin ; (2) jurés d'assises ; (3) juge du tribunal correctionnel ; (4) avocat ; (5) créancier ; (6) cocontractants ; (7) assureur.

3. Travailler comme avocat

1. Me Renard : Paris, 50 associés (et 180 salariés) dans le cabinet, plutôt grandes entreprises, droit de la propriété industrielle. **Me Laudet :** Paris, 8 associés, PME, droit des affaires. **Me Campion :** une ville en Bretagne, pas d'associé, Monsieur « Tout le monde », pas de spécialisation.

2. Me Renard : Aa, Bace. Me Laudet : Abe, Bd. Me Campion : Acd, Bb.

3. Me Renard : e, g. Me Laudet : a, c. Me Campion : b, d, f.

3 Droits et biens des personnes juridiques

1. Identifier les personnes juridiques *(page 44)*

1. Comment dire

(1) emprunteur ; (2) mandataire ; (3) mineur ; (4) conjoint.

2. Mettre en relation

M. Monet : 1. Peugeot, société (commerciale) – **2.** American Airlines, société (commerciale) – **3.** Le club de football, association – **4.** Hôpital, établissement public. **Mme Monet : 1.** Université, établissement public – **2.** FO, syndicat – **3.** Amnesty international, association – **4.** Club Méditerranée, société (commerciale).

3. Établir une identité

1. Comment est née Lilli Collection

(1) publiée ; (2) indique ; (3) créée ; (4) est ; (5) acquière ; (6) immatriculée ; (7) accomplie ; (8) représentée ; (9) est né ; (10) domicilié ; (11) exister ; (12) dissoute.

2. Comment établir une fiche d'identité

a. PP : 1, 4, 7, 9 ; PM : 2, 3, 5, 6, 8, 10, 11.

b. Dumas, Daniel Jean, gérant de société, né à Bron (Rhône), le 2/01/68, domicilié 11bis rue Jean-Nicot à Paris (17e). **Lilli Collection**, SARL, commerce de vêtements, créée le 26 juillet 1998, siège social : 247 rue de Vaugirard, Paris (15e), capital social de 10 000 €, immatriculée le (?) au RCS de Paris.

3. Comment créer une entreprise

a. La facture. Le bilan.

b. Extrait « K » : document établi par le RCS, permettant d'identifier une entreprise individuelle. L'extrait « K bis » permet d'identifier une société.

2. Distinguer les différents droits de la personne *(p. 48)*

1. Comment dire

1. Le procureur de la République peut accorder... **2.** Le débiteur a la possibilité de payer... **3.** Tous ceux auxquels la loi ne l'interdit pas ont le droit d'acheter ou de vendre. **4.** Il est permis au preneur de sous-louer... **5.** On peut stipuler... **6.** En cas de méconnaissance de ces dispositions par le salarié, l'employeur a droit à des dommages-intérêts correspondant au préjudice subi.

2. Connaître ses droits

Droits réels : 2. Droits personnels : 7. Droits de la personnalité : 1, 4. Droits de la famille : 5. Libertés publiques : 3, 6, 8.

3. Assister à une audience du tribunal

1. Quels sont les faits reprochés ?

– **Paul J :** Aucun antécédent. Faits reprochés : braquage d'un camion avec mitraillette en plastique. Défense : problèmes de santé et d'argent, moment de folie. Décision : 12 mois de prison dont 11 avec sursis.

– **Philippe L :** Aucun antécédent. Faits reprochés : trafic de stupéfiants. Défense : simple partage entre copains. Décision : 10 mois de prison dont 5 avec sursis.

– **Kewa S :** Deux condamnations pour recel de lunettes, usage illicite de drogues, infraction à la législation sur les stupéfiants. Faits reprochés : situation irrégulière sur le territoire. Défense : la personne qui comparaît ne serait pas le prévenu. Décision : affaire renvoyée pour enquête complémentaire.

2. Peut-on se faire arrêter en pleine rue ?

Aucune de ces personnes n'a été arrêtée dans des conditions légales. (1) Pas d'ivresse manifeste. (2) Le mandat d'amener doit être signé par le juge. (3) Un mauvais stationnement est une simple contravention. (4) Seuls les policiers ont le droit de procéder à un interrogatoire. (5) De simples soupçons des policiers.

3. Analyser le droit de propriété *(p. 52)*

1. Comment dire

a : 1, 4, 6. b : 2, 5, 8, 9. c : 3, 7.

2. Trouver le passage

a. Un droit : est fondé à. Une obligation : doit. Voix passive : sont enclavés, est fondé, être pris, être fixé, est accordé.

b. *Proposition de corrigé :* Art. 682 : Le propriétaire d'un terrain qui n'a pas de sortie sur la voie publique peut passer (a droit à un passage) sur le terrain du voisin. Art. 683 : Ce passage doit être fixé du côté où le trajet est le plus court, mais à l'endroit le moins gênant pour le voisin.

c. *Proposition de corrigé :* Le propriétaire du fonds A peut demander un droit de passage parce que son fonds est enclavé. Le passage se situera au fond du jardin potager, le long de la maison C. C'est de ce côté en effet que le trajet est le plus court et le long de la maison C devrait être l'endroit le moins dommageable pour le propriétaire du fonds B.

3. Tenir la rubrique juridique

1. Consulter la loi

1. a. 552, conséquences – b. 544, restriction. c. 716, alinéa, définition.

2. a. jouir ; b. absolue ; c. pourvu que ; d. prohibé ; e. emporte ; f. à propos ; g. fournir ; h. autrui ; i. enfouie ; j. justifier.

3. *Proposition de corrigé :* Art. 544 : On peut faire tout ce qu'on veut de la chose dont on est propriétaire, sauf ce qui est interdit par la loi. Art. 552 : Le propriétaire d'un terrain est propriétaire de ce qu'il y dans le sol et au-dessus du sol. Il pleut planter et construire ce qu'il veut. Il peut fouiller dans le sol et tirer profit de tout ce qu'il trouve. Art. 716 : Celui qui trouve un trésor sur son terrain en est propriétaire. Si le trésor est découvert sur le terrain d'un autre, il appartient pour moitié à celui qui l'a découvert et pour moitié au propriétaire du terrain. Un trésor est une chose qui était cachée ou enterrée et qui a été découverte tout à fait par hasard.

2. Répondre au courrier

Pour répondre aux lecteurs, il faut expliquer le contenu des articles du Code civil en reprenant la formulation ci-dessus. **Cas Leblanc :** En vertu de l'art. 716, le trésor appartient pour moitié à M. Leblanc et pour moitié à M. Travodur. **Cas Surcouf :** le trésor n'ayant pas été découvert « par le pur effet du hasard » n'est pas un trésor au sens de l'art. 716. Ce dernier article n'est donc pas applicable. Il faut appliquer l'art. 552 : M. Surcouf est alors seul propriétaire.

4. Analyser la composition du fonds de commerce *(p. 56)*

1. Comment dire

1e ; 2c ; 3a ; 4j ; 5f ; 6d ; 7h ; 8b ; 9i ; 10g.

2. Découvrir l'essentiel

a. (1) corporelle ; (2) matériel ; (3) incorporelle ; (4) nom ; (5) brevet ; (6) clientèle ; (7) posséder ; (8) clients ; (9) possède ; (10) conservation ; (11) droit au bail ; (12) fonds de commerce.

b. Coca-Cola : la marque. Petit fabricant de meubles : le matériel, la marchandise. Un café sur les Champs-Élysées : le droit au bail. IBM : le nom, la marque, les droits de propriété industrielle. Une entreprise pharmaceutique : les droits de propriété industrielle. Cartier : le nom, la marque.

3. Protéger la propriété industrielle

1. Consulter la loi

a. (1) délivré ; (2) titre ; (3) propriété ; (4) exclusif ; (5) vingt ; (6) six ans ; (7) transmis ; (8) droits ; (9) opposables ; (10) tiers ; (11) registre ; (12) brevets ; (13) inpi ; (14) contrefaçons ; (15) invention ; (16) engager ; (17) civile ; (18) tgi ; (19) compétent ; (20) actions.

b. Vrai : 1 (art. L. 611-1, un héritier est un type d'ayant cause) ; 3 (art. L. 613-8) ; 5 (art. L. 513 -1, 25 ans + 25 ans). Faux : 2 (art. L. 611-10) ; 4 (art. L. 511-2, est présumé, jusqu'à preuve du contraire) ; 6 (art. L. 712-1, indéfiniment renouvelable).

c. Tous ces signes pouvant faire l'objet d'une représentation graphique sont des marques, au sens de l'art. L. 711-1.

2. Faire un rapport

L'objectif du rapport est d'aider Mme Petibon à prendre une décision. L'auteur du rapport doit exposer le(s) problème(s) et proposer des solutions. Quelles sont les formalités et quel est l'intérêt du dépôt à l'INPI ? Comment trouver un nom approprié ? Pourquoi et comment vérifier la disponibilité du nom ?

4 Les obligations

1. Distinguer les différentes obligations (p. 62)

1. Comment dire

1. Les époux sont tenus mutuellement à une communauté… **2.** Pour faire (…), on doit être saint d'esprit. **3.** L'obligation doit avoir pour objet… **4.** Il faut que la lettre de voiture soit datée. **5.** Les personnes mentionnées à l'art. 23 ne peuvent pas recevoir de leurs clients…

2. Connaître ses obligations

Obligation légale : 3 ; contractuelle : 1, 4 ; délictuelle : 2 ; de moyens : 5, 6 ; de résultat : 7,8.

3. Définir une obligation de ponctualité

1. Les pièces du dossier

a. le cahier des charges. b. le titre de transport. c. les attestations. d. les conclusions.

2. La plaidoirie des avocats

a. (1) ponctualité ; (2) contractuels ; (3) cahier des charges ; (4) 1er ; (5) publique ; (6) confort ; (7) ponctualité ; (8) lieu ; (9) contrat de transport ; (10) réseau ; (11) fiches ; (12) arrivée ; (13) engagée ; (14) publicitaire ; (15) billet ; (16) transporteur ; (17) sain et sauf ; (18) prévue ; (19) sécurité ; (20) charge.

b. *Proposition de corrigé :* On peut objecter au second argument de Me Campion que les billets de trains de banlieue ne mentionnent pas l'heure d'arrivée (comme le relève l'arrêt de la cour d'appel) et que les arguments publicitaires ne doivent pas être pris au pied de la lettre.

3. La décision des juges

1. Cour d'appel de Paris. **2.** Demandeurs devant la cour d'appel (appelants) : Lochon, Dauvergne, Gruber (trois usagers). Défendeur (intimé) : la SNCF. **3.** Entre le 15 nov. et le 6 déc. 1993, des trains au départ de Paris sont arrivés à La Verrière, une gare de banlieue, avec des retards de 15 à 50 minutes **4.** Les trois usagers demandent à être indemnisés. La SNCF demande à être dégagée de toute responsabilité. **5.** Les usagers prétendent avoir subi un préjudice du fait des retards. La SNCF prétend que les titres de transport pour les trains de banlieue n'indiquent pas l'heure et que ces retards sont indépendants de sa volonté. **6.** La responsabilité de la SNCF est-elle engagée ? Les trois usagers ont-ils subi un préjudice ? **7.** En première instance, les usagers (demandeurs) ont été déboutés. Ce jugement est annulé par la cour d'appel, qui condamne la SNCF à payer 50 € de dommages-intérêts à chacun des trois usagers. **8.** L'engagement de ponctualité figure dans le cahier des charges. Des attestations démontrent qu'il y a bien eu des retards. La SNCF reconnaît elle-même, dans une note de service, qu'une grande partie de ces retards sont de son fait. De tels retards causent nécessairement un préjudice aux usagers. Les trois usagers justifient d'un préjudice correspondant au désagrément d'avoir dû prolonger leur journée de travail.

2. Analyser la formation du contrat (p. 66)

1. Comment dire

Pour concéder : certes, il est certain que, je ne nie pas le fait que, bien sûr, je veux bien, c'est incontestable, il est possible que, admettons que, je l'admets volontiers, il ne fait pas de doute que, c'est exact, je vous l'accorde, effectivement, tout à fait d'accord avec vous, je n'ignore pas que.
Pour opposer : cela dit, il faut tout de même dire que, cependant, je crois néanmoins que, il me semble pourtant que, n'empêche que.

2. Annuler un contrat

1. Incapacité – 2. Objet indéterminé – 3. Objet inexistant – 4. Dol – 5. Cause illicite – 6. Cause illicite – 7. Violence.

3. Négocier un contrat

Les parties – vendeur et acheteur – ne doivent ni sous-estimer leurs propres contraintes ni s'imaginer que l'autre a un point de vue exactement identique au leur.

Le vendeur peut ainsi être pressé par le temps et regretter que son appartement soit situé au nord, sans soleil, en face d'une caserne de pompiers. Il imaginera difficilement que l'acheteur puisse, par exemple, ne pas chercher à négocier ou ne pas attacher d'importance au manque de soleil.

Même si l'appartement lui plaît et même s'il a les moyens de payer, l'acheteur a tout de même intérêt à négocier. Il peut tirer partie des défauts bien visibles de l'appartement et en tirer partie, sans toutefois exagérer, car il risquerait alors de perdre l'affaire.

Les parties doivent donc évaluer correctement leurs propres contraintes et découvrir celles de l'autre en le questionnant (dès le début). Elle doivent par ailleurs éviter de passer trop de temps à négocier le prix du mobilier, alors que c'est l'appartement qui est au cœur de l'affaire.

3. Examiner les principaux contrats (p. 70)

1. Comment dire

1. bailleur ; 2. locataire ; 3. employeur ; 4. expéditeur ; 5. mandataire ; 6. électeur ; 7. parlementaire ; 8. fonctionnaire ; 9. auteur ; 10. voyageur.

2. Reconnaître un contrat

Cas 2. Contrat de travail ; l'employeur doit payer le salaire ; le salarié : exécuter le travail convenu – **Cas 3.** Contrat de société ; les associés : apporter le capital – **Cas 4.** Contrat de vente ; le vendeur : délivrer la robe ; acheteur : payer le prix – **Cas 5.** Contrat de bail ; le bailleur : mettre l'appartement à disposition ; le locataire : payer le loyer – **Cas 6.** Contrat de transport ; le transporteur : amener le voyageur (sain et sauf) à destination ; le voyageur : payer le prix – **Cas 7.** Contrat d'assurance ; l'assureur : payer l'indemnité en cas de sinistre ; le souscripteur : payer la prime (ou cotisation) – **Cas 8.** Contrat d'entreprise ; le travailleur indépendant : exécuter le travail convenu ; le client : payer le prix (les honoraires).

3. Analyser un contrat

1. Que dit le contrat ?

Doc. 1. 1. Contrat de transport. **2.** Transport de voyageurs. **3.** Écrit (titre de transport). Formé le 08.04.97 à 16 h 03 (indiqué en très petits caractères). Le 25/06 est la date d'exécution du contrat. **4.** La SNCF (le transporteur) et le voyageur (ou plus précisément son représentant car le voyageur est un enfant). **5.** Transporter le voyageur de Paris à Lorient ; payer le prix du billet (168,00 F). **6.** Que se passe-t-il en cas d'accident ? De grève ? D'accident ? De retard à l'arrivée (cf. pages 64, 65) ? Etc.

Doc. 2. 1. Contrat de vente. **2.** Vente de vin château margaux 1991 (360 bouteilles). **3.** Écrit (bon de commande). Offre : le 04/11. Acceptation : le 06/11. Contrat formé le 06/11. **4.** Acheteur : épicerie parisienne. Vendeur : Société Haut-Brane (le bon de commande est à l'en-tête du client. **5.** Cf conditions de vente (délais de paiement, de livraison). **6.** En cas de non respect des délais de livraison, de marchandise non conforme, en mauvais état ou manquante, que peut faire le client ? Dans certains cas, il refusera de prendre livraison. S'il accepte la marchandise, il formulera des réserves (sur le bon de réception) et enverra aussitôt une lettre de réclamation au fournisseur (en demandant, par exemple, un rabais). En cas de retard de paiement, le vendeur adressera à son client une ou plusieurs lettres de rappel.

Doc. 3. 1. Contrat de bail. **2.** Location d'un local commercial (cf. « Désignation »). **3.** Acte sous seing-privé, daté du 25/06. **4.** Brigitte Lévêque (propriétaire bailleur), Roger Ourset (locataire ou preneur). **5** Obligations du bailleur : grosses réparations (cf. « Charges et conditions) ; obligations du preneur : cf. « Destination des lieux loués », « Loyer » (D'autres obligations, non mentionnées dans le contrat, sont prévues par la loi). **6.** Cf. « Clause résolutoire ».

2. Peut-on passer un contrat au téléphone ?

a. Entretien 1. 1. Contrat d'entreprise. **2.** Réparation d'un ordinateur. **3.** Pour le moment, contrat oral (téléphone). Probablement confirmation écrite par la suite. **4.** Société Répartout (prestataire de service). Mme Dupont (client). **5.** Réparer dans les délais (3 jours). Payer 300 F. **6.** Que faire, par exemple, si la réparation est plus complexe que prévu ? Le fournisseur peut établir un devis.

Entretien 2. 1. Contrat de transport. **2.** Transport (aérien) de voyageurs. **3.** Contrat oral. Par la suite, contrat matérialisé par titre de transport (billet). **4.** Air France. Paul Taravant. **5.** Transporter jusqu'à Florence. Payer 3895 F. **6.** Quelle est l'étendue de la responsabilité du transporteur en cas de mort ou de lésions corporelles, en cas de perte ou d'avarie aux bagages, en cas d'annulation ou de retard du vol ? Les conditions de transport qui figurent sur tout billet d'avion apportent des éléments de réponses à ces questions.

Entretien 3. 1. Contrat de vente. **2.** Vente de vins château margaux. **3.** Contrat oral. Confirmation écrite annoncée. **4.** Société Haut-Brane (vendeur). Épicerie Parisienne (acheteur). **5.** Livrer avant jeudi de la semaine prochaine. Payer le prix aux conditions habituelles. **6.** Voir doc. 2 ci-dessus.

b. *Lettre de confimation :* Madame, Je fais suite à notre entretien téléphonique de ce jour et vous confirme ma commande de 40 bouteilles de château margaux, réf. BCM 91900, au prix de 21,30 F la bouteille. Les conditions de paiement, à 30 jours fin de mois de livraison, restent inchangées. Je vous sais gré d'avoir bien voulu accepter de livrer la marchandise le jeudi 3 mars. Veuillez recevoir, Madame, mes salutations distinguées. M. Videlier.

4. Établir les conditions de la responsabilité civile *(p. 74)*

1. Comment dire

1. donc ; 2. tellement… qu(e) ; 3. c'est pourquoi ; 4. à tel point qu(e) ; 5. ce qui explique ; 6. j'en déduis ; 7. tant de… que.

2. Trouver le responsable

1. Responsable le voleur, qui a commis une faute de conduite, cause directe du dommage. 2. Le médecin, qui a une obligation de moyens, est tenu responsable si on démontre qu'il a commis une faute. 3. L'automobiliste est dégagé de sa responsabilité car il y a faute de la victime. 4. M. Lustucru n'est pas responsable car il n'y a pas de lien direct entre sa faute (écraser le chat) et le décès de Mme Michel. 5. Le transporteur est responsable car il a une obligation de résultat (le seul fait d'avoir perdu la marchandise constitue une faute). 6. À moins d'avoir pratiqué une concurrence déloyale, le commerçant n'a commis aucune faute. 7. La victime peut engager soit la responsabilité du chauffeur, qui a commis la faute, soit de préférence, parce qu'il est plus solvable, celle de l'employeur, qui est responsable du fait de son salarié (Code civ., art. 1384).

3. Travailler dans les assurances

1. a. Risque ; b. Prime ; c. Police ; d. Sinistre ; e. Dommage ; f. Indemnité.
2. a7 ; b2 ; c1 ; d8 ; e5 ; f6 ; g4 ; h3.
3. a. Société Haut-Brane ; **b.** Assurances Lemarc ; **c.** SARL ; **d.** Les compagnies d'assurances sont des sociétés anonymes ; **e.** Entrepôt ((bâtiment et marchandise) ; f. Société Haut-Brane ; g. 3 février ; h. Multirisques (vol, incendie, dégâts des eaux, etc.) ; i. AB 340 98 ; j. Incendie ; k. 24 sept. l. circuit électrique suspecté ; m. 30 000 € ; n. Travodur suspectée.

4. SARL : société à responsabilité limitée ; av. : avenue ; V/Réf. : vos références ; N/Réf. : nos références ; FC : initiale de la personne qui a écrit la lettre ; EB : Élodie Bouchaud ; bd : boulevard ; RCS : registre du commerce et des sociétés ; CB : compte bancaire.

5. Informer : nous attirons votre attention sur le fait que…, nous vous informons que…, nous vous signalons que… Demander : nous vous prions de bien vouloir…, nous vous serions reconnaissants de…

6. *Proposition de corrigé :* Madame, Monsieur, Nous faisons suite à votre lettre du 24 septembre par laquelle vous nous informez qu'un incendie s'est déclaré dans votre entrepôt situé au 44 rue Jean Bonneau. Nous nous informons que M. Jassure, expert en assurances, se rendra sur les lieux du sinistre le mardi 30 septembre à 10 heures, afin d'évaluer le dommage. Nous vous prions de bien vouloir lui réserver le meilleur accueil. Si cette date ne vous convenait pas, nous vous serions reconnaissants de nous avertir dans les meilleurs délais. Veuillez recevoir, Madame, Monsieur, nos salutations distinguées.

5 La vie des affaires

1. Choisir une forme de société *(p. 80)*

1. Comment dire

1. On. **2.** Chacun. **3.** Chaque. **4.** Tous. **5.** Toute. **6.** Nulle. **7.** Quiconque.

2. Décrire une société

SNC : 2, 3, 4, 7, 10, 11, 12. SARL : 1, 2, 4, 9, 10, 11, 12. SA : 2, 4, 5, 6, 8, 9, 10, 11, 12. Remarquez que les affirmations 10, 11 et 12 caractérisent les trois types de société. 10 : le dividende est par définition une part des bénéfices attribuée à chaque associé ; bien que plus usité dans les sociétés par actions, le terme peut être employé pour tous les types de sociétés commerciales. 11-12 : dans les sociétés capitalistes, le pouvoir appartient à ceux qui apportent le capital, selon le principe « une part = une voix ». Dans les trois types de sociétés, les dirigeants sont donc nommés par les associés, chacun d'eux ayant un droit de vote proportionnel à la part de capital qu'il détient. Cependant, dans les sociétés commerciales de certains pays, les salariés disposent d'un certain pouvoir de décision au sein des conseils d'administration.

3. Créer une société

1. Signer les statuts

1. Contrat de société. 2. Exercer un commerce de vêtements. 3. Écrit (statuts) du 20 oct. 200. 4. Trois associés : F. Leguellec, J. Fabre, M. Wagner.

5. Apporter le capital (cf. art. 5 des statuts). 6. L'intégralité du capital a déjà été souscrit (= les fonds ont déjà été versés).

2. Donner un conseil d'ami

a. (1) créer ; (2) statuts ; (3) Abimax ; (4) siège ; (5) objet ; (6) SARL ; (7) gérant ; (8) cinquièmes ; (9) 10 000 ; (10) 50 000 ; (11) requis ; (12) déposé ; (13) ouvert ; (14) au nom de ; (15) immatriculer ; (16) partagerons ; (17) apports.

2. Informer et protéger le consommateur *(p. 84)*

1. Comment dire

1. en raison d(e) – 2. parce qu(e) – 3. sous prétexte que – 4. faute de – 5. En effet – 6. Étant donné.

2. Recruter d'honnêtes vendeurs

Il faut recruter Marcel et Françoise. Fanny : envoi forcé. Laure : vente à la chaîne. Germain : arguments de vente mensongers. Jean-Luc : interdiction de recevoir un acompte en cas de vente à domicile.

3. Défendre le consommateur

1. Envoyer une lettre de réclamation

Lettre de F. Lamotte : (1) armoire ; (2) bon de commande ; (3) menuisier ; (4) constat ; (5) rembourser ; (6) somme ; (7) porter plainte ; (8) tromperie ; (9) qualité substantielle.

Lettre de M. Voisin : (1) publicitaire ; (2) Journal du dimanche ; (3) proposez ; (4) 100 € ; (5) magasin ; (6) 180 € ; (7) vendre ; (8) 4 de l'arrêté 77-105 P du 2 sept. 1977 ; (9) publicité mensongère.

2. Régler un problème de livraison

a. Les conditions d'applicabilité de cet art. 3 sont réunies : l'ordinateur est un bien meuble, le délai de livraison de sept jours est dépassé, la rupture de stocks n'est pas un cas de force majeure (cf. page 74).

Proposition de réponse à Maïté Bagarry : Vous êtes en droit de dénoncer le contrat de vente par lettre recommandée avec accusé de réception. C'est en effet ce que prévoit l'art. 3 de la loi du 18 janvier 1992 dans le cas où le dépassement du délai de livraison est de plus de 7 jours. Or vous êtes bien dans cette situation. La force majeure étant un événement imprévisible et irrésistible, comme une guerre ou un tremblement de terre, la rupture de stocks ne peut certainement pas être considérée comme un cas de force majeure. En dénonçant le contrat, vous devez réclamer le remboursement immédiat de la somme payée.

b. Vrai : 1, 3 (la directive revient à interdire les délais de livraison supérieurs à 30 jours pour les ventes à distance). **Faux :** 2 (ce n'est pas une vente à distance).

3. Respecter les règles de concurrence *(page 88)*

1. Comment dire

Premier argument : d'abord, d'une part, avant tout, commençons par, première raison. **Arguments suivants :** ensuite, en outre, par ailleurs, de plus, aussi, de surcroît, d'autre part, encore, et puis, également, ajoutons que, autre raison. **Dernier argument :** enfin, finalement, à la fin, ultime argument, en fin de compte, pour terminer.

2. Classer ses idées

Partie 1 : a, c, f, h. Partie 2 : d, g. Partie 3 : b, e.

3. Assister à un cours de droit

1. Relier des idées

En première partie, en seconde partie, en premier lieu, en second lieu, par ailleurs, tout d'abord, d'une part, d'autre part, également, enfin.

2. Prendre des notes

a. Utilisation de signes conventionnels : =, ⇒ (entraîne), ->, (Δ = droit). Retours fréquents à la ligne. Abréviations des mots : en ne donnant que le début du mot, en principe avec un point abréviatif (ex. part., jud., adm., civ., resp., publ.), en donnant le début et la fin, sans point (ex. sctions, emprisonnt, cpte = compte, entrep., pt = peut, jnx = journaux), en donnant les initiales (ex. DI = dommages-intérêts, CA = chiffre d'affaires, UE). Abréviations des phrases en supprimant articles et prépositions : ex. Action (en) resp. de (la) victime.

3. Bâtir un plan

I. Sanctions judiciaires. A. Sanctions civiles. A1. Action en réparation. A2. Nullité des accords anticoncurrentiels. B. Sanctions pénales – **II.** Sanctions administratives. A. Sanctions pécuniaires. A1. En droit français. A2. En droit communautaire. B. Injonction. B1. du Conseil de la concurrence. B2. de la Commission européenne. C. Publication de la décision dans la presse.

6 Les relations du travail

1. Analyser la formation du contrat de travail *(page 94)*

1. Comment dire

a. Contrat. b. Contrat à titre onéreux. c. Contrat à titre gratuit. d. Contrat d'entreprise. e. Contrat de travail. f. Contrat à durée déterminée. g. Contrat à durée indéterminée.

2. Qualifier le contrat

Y a-t-il un lien de subordination ? Oui, c'est un contrat de travail : 3 (avec plusieurs employeurs), 4. Non, c'est un contrat d'entreprise : 1, 2.

3. Passer un contrat de travail

1. Une nouvelle lettre d'engagement

(1) Leroux ; (2) contrat ; (3) 27 mars 2000 ; (4) engagement ; (5) 2 avril 2000 ; (6) indéterminée ; (7) comptable ; (8) administrative ; (9) brute ; (10) 2 300 € ; (11) 13 ; (12) convention collective nationale de l'immobilier ; (13) préavis ; (14) indemnités ; (15) prescriptions ; (16) deux ; (17) rompre ; (18) accord ; (19) retourner ; (20) lu, approuvé ; (21) signature ; (22) règlement intérieur ; (23) chef du personnel.

2. Un ancien contrat de travail

Art. 1. La société (...) 3 mars 1994 en qualité de vendeur. Art. 2. Les fonctions (...) : courtage de biens immobiliers, à usage professionnel, situés à Paris. Art. 3. Le présent contrat (...) période d'essai de trois mois. (...) Art. 4. Le salaire (...) à 2000 F, auquel s'ajoute une commission de 3 % sur le chiffre d'affaires réalisé. Art. 5. M. Bernard s'engage à se conformer aux prescriptions du (...), tout en restant libre d'organiser son emploi du temps comme il l'entend. Art. 6. (...) Fait (...) le 3 mars 1994.

2. Établir les conditions du licenciement *(page 98)*

1. Comment dire

1b; 2d; 3a; 4c; 5g; 6e; 7f; 8i; 9h; 10k; 11j.

2. Apprécier le motif d'un licenciement

Proposition de corrigé : **1.** Personnel. Sérieux (d'après les juges, Mme Raoul s'est engagée, à la conclusion du contrat, à respecter les préceptes de l'église catholique). **2.** Économique. Sérieux. **3.** Personnel. Pas sérieux. **4.** Personnel. Sérieux (atteinte à la liberté du travail). **5.** Personnel. Sérieux (à supposer, bien sûr, que l'employeur démontre que le climat de tension soit dû au comportement de Mlle Machin). **6.** Le motif ne peut même pas être qualifié d'économique car il ne touche pas l'entreprise. Pas sérieux. **7.** Personnel. Sérieux. Le DG, salarié de l'entreprise, est subordonné au Président, représentant des actionnaires. **8.** Personnel. Sérieux (elle travaillait à l'accueil). **9.** économique. Sérieux. **10.** Personnel. Pas sérieux (le mauvais chiffre d'affaires réalisé par M. Deville ne veut pas forcément dire qu'il est incompétent).

3. Suivre une affaire de licenciement

1. Le licenciement est-il abusif ?

a. • *Compléter :* (1) contre ; (2) demande ; (3) dix ; (4) intérêts ; (5) licenciement ; (6) cause ; (7) sérieuse ; (8) engagé ; (9) qualité ; (10) par ; (11) licencié ; (12) recommandée ; (13) 14 avril 2001 ; (14) L. 122-14 du Code du travail ; (15) entretien ; (16) 7 avril ; (17) assister ; (18) préavis ; (19) reçu pour solde de tout compte ; (20) certificat de travail ; (21) motif ; (22) licenciement ; (23) valoir ; (24) réel ; (25) sérieux ; (26) licenciement ; (27) avertissement ; (28) 12 février et 3 mars 2001 ; (29) défenderesse ; (30) attestations ; (31) comptable ; (32) motif réel et sérieux ; (33) déboute ; (34) demande. • *Analyser :* **1.** Conseil de prud'hommes de Paris – **2.** A. Leroux (demandeur) c/ Société Paribas Immobilier (défendeur) – **3.** cf. §2 du jugement – **4.** cf. §1 – **5.** cf. §3 et §4 – **6.** Le motif du licenciement est-il réel et sérieux ? – **7.** Oui – **8.** Attestations écrites.

2. Faut-il réformer le droit du travail ?

Proposition d'un plan pour l'article. Introduction : Le droit du travail en vigueur est dépassé. **I.** Le droit du travail a été élaboré sur des principes qui datent du début du siècle. 1. L'organisation de la production : fordisme, production de masse, organisation taylorienne. 2. Le contrat de travail : à durée indéterminée, à temps complet. 3. La vie professionnelle du salarié : un seul employeur à la fois, un même métier. **II.** La révolution technologique a transformé le monde du travail. 1. Le contenu du travail : de plus en plus orienté vers des activités conceptuelles, créatrices. 2. L'organisation du travail plus flexible : flexibilité du temps de travail (horaires irréguliers, par exemple) et flexibilité dans la vie professionnelle du travailleur (plusieurs employeurs à la fois, plusieurs métiers) Conclusion s: Les règles en vigueur freinent le développement économique, l'initiative, l'embauche. Il faut imaginer une nouvelle relation de travail, qui facilite la formation permanente, qui soit plus proche du droit commercial que du droit du travail.

3. Définir le droit de grève *(p. 102)*

1. Comment dire

1d ; 2e ; 3f ; 4c ; 5a ; 6g. 7b.

2. Assister à une réunion syndicale

a. Grève de solidarité (interne), licite si les «gars de l'entrepôt» et les vendeurs défendent un intérêt commun (cf. explication page 102 ou/et note jurisprudentielle n°9 page 104). **b.** Grève perlée, illicite (cf. note 11 p. 104). **c.** Piquet de grève, illicite (cf. note 12). **d.** Grève surprise, licite (cf. note 4). **e.** Grève sauvage, licite (cf. note 6).

3. Enquêter sur les conflits du travail

Proposition de reformulation dans un langage courant. Art. L. 521-1. Après avoir fait grève, le travailleur peut reprendre son travail, sauf s'il a commis une faute particulièrement grave. **1.** Un travailleur ne peut pas renoncer à faire grève. **2.** Le travailleur en grève n'a pas à apporter la preuve que sa grève est licite. C'est à l'employeur de prouver que la grève est illicite. **3.** Une minorité de travailleurs peut continuer la grève même si la majorité a repris le travail. **4.** On peut se mettre en grève immédiatement, sans préavis. **5.** Les travailleurs peuvent se mettre en grève au moment qu'ils estiment le plus efficace. **6.** On peut se mettre en grève sans l'accord d'un syndicat. **7.** Les travailleurs peuvent se mettre en grève sans attendre le résultat d'une négociation engagée avec l'employeur. **8.** On peut se mettre en grève simplement parce qu'on a peur, si cette peur a un rapport avec le travail, comme la peur de perdre son emploi. **9.** Les travailleurs ne peuvent pas faire grève pour appuyer des revendications qui ne les concernent pas. **10.** La grève peut être de durée très variable : de quelques minutes à quelques semaines. **11.** La grève suppose un arrêt du travail. On n'est donc pas en grève quand on travaille au ralenti ou dans de mauvaises conditions et on peut dans ce cas être sanctionné ou même licencié. **12.** Les grévistes qui bloquent l'entrée des bureaux commettent une faute lourde.

1. Réaction patronale

Aucun des arguments avancés n'est valable. Cf. pour chacun d'eux la note jurisprudentielle correspondante : a-2 ; b-10 ; c-7 ; d-8 ; e-5 ; f-3 ; g-1.

2. Action syndicale

Proposition de réponse à Pierre Curie : En vertu du principe de la liberté syndicale, vous avez le droit d'adhérer ou de ne pas adhérer à un syndicat. Ce principe implique aussi, bien entendu, le droit de se retirer à tout moment et de ne plus payer les cotisations.

Proposition de réponse à Claudine Laguillette : Votre question revient à se demander si le syndicat est représentatif au niveau de l'entreprise. Car seul un syndicat représentatif peut signer valablement, c'est-à-dire au nom des travailleurs, un accord d'entreprise. Le représentativité d'un syndicat s'apprécie au regard de différents critères : ancienneté et expérience, indépendance vis-à-vis de l'employeur, importance des effectifs et des cotisations. Votre syndicat étant de création très récente répond difficilement aux critères d'ancienneté et d'expérience. En revanche, à en juger par la réaction de votre employeur, son indépendance ne fait pas de doute. De plus, les effectifs sont extrêmement importants. Cette indépendance manifeste ajoutée au fait que le syndicat réunisse les trois quarts des salariés de l'entreprise suffit à notre sens à le rendre représentatif. Votre syndicat a donc parfaitement sa place à la table de négociation de cet accord d'entreprise.

Tester ses connaissances : corrigés

1 Le cadre de la vie juridique *(p. 24 et 25)*

I. Faire le bon choix

1b ; 2a ; 3c ; 4a ; 5b ; 6c ; 7b ; 8a ; 9c ; 10b ; 11c ; 12ac ; 13a ; 14b.

II. Chasser l'intrus

1. ordinateur, jardin. **2.** mariage, chèque. **3.** acheter, prêter. **4.** Suisse, Turquie. **5.** domicile, créancier.

III. Faire des phrases

A. 1. L'assemblée nationale est élue au suffrage universel direct. 2. Le Parlement peut proposer au président de la République l'organisation d'un référendum. 3. La Commission européenne a pour mission d'élaborer des propositions. 4. Le Parlement européen a des fonctions de contrôle et de recommandation. 5. Le présent décret est applicable aux territoires d'outre-mer.

B. 1. Les projets de loi sont préparés par le gouvernement et soumis au vote du Parlement. 2. Lorsque l'Assemblée nationale désapprouve le programme du gouvernement, le Premier ministre remet la démission du gouvernement au président de la République. 3. La Constitution est révisée soit par le Parlement soit par référendum. 4. Le nombre de fonctionnaires qui travaillent à Bruxelles pour la Commission européenne s'élèvent à 20 000 environ. 5. Le Conseil des ministres européen est formé des représentants des gouvernements des États membres.

2 Les acteurs de la justice *(p. 42 et 43)*

I. Faire le bon choix

1c ; 2c ; 3a ; 4b ; 5b ; 6b ; 7b ; 8d ; 9b ; 10c ; 11a ; 12a ; 13c ; 14c.

II. Chasser l'intrus

1. ouvrier, boulanger. **2.** cour de récréation, cour des miracles. **3.** Conseil d'État, cour d'appel. **4.** inventer, acheter. **5.** accord, acceptation.

III. Faire des phrases

A. 1. Maître Lacour est un avocat spécialisé en droit du travail. 2. Le ministère public a requis la peine maximale. 3. Le demandeur n'apporte aucune preuve à l'appui de sa demande. 4. La plainte est transmise au parquet par la police. 5. La cour d'appel a confirmé le jugement du tribunal de grande instance.

B. 1. La compétence territoriale de la juridiction est déterminée par le lieu du domicile du défendeur. 2. Les tribunaux de commerce sont composés de commerçants élus par leurs pairs. 3. L'avocat accomplit des actes de procédure et représente son client devant le tribunal. 4. La chambre civile de la Cour de cassation a cassé l'arrêt rendu par la cour d'appel de Rouen du 18 novembre 1998. 5. L'État espagnol a introduit devant la CJUE un recours en annulation de la directive 99/120.

3 Droits et biens des personnes juridiques *(p. 60 et 61)*

I. Faire le bon choix

1b ; 2c ; 3a ; 4b ; 5d ; 6a ; 7b ; 8c ; 9c ; 10b ; 11c ; 12c ; 13d ; 14a.

II. Chasser l'intrus

1. droit exclusif, droit absolu. **2.** droit des affaires, droit du travail. **3.** gérant, avocat. **4.** prénom, profession. **5.** délit, infraction.

III. Faire des phrases

A. 1. La disparition du fonds de commerce peut causer de graves préjudices aux créanciers. 2. Le fonds de commerce est un ensemble de biens mobiliers qui permettent au commerçant d'exploiter son entreprise. 3. Aucun citoyen ne peut porter de nom autre que celui exprimé dans son acte de naissance. 4. Il faut accomplir un certain nombre de formalités pour créer une entreprise. 5. Elle a été arrêtée pour ivresse manifeste en pleine rue et placée en garde à vue pendant quatre heures.

B. 1. D'après le registre d'état civil, Gustave Eiffel est né à Dijon en 1832 et il est mort à Paris en 1933. 2. Le commerçant reçoit du registre du commerce un numéro qui permet d'identifier son entreprise. 3. On devient propriétaire d'une marque au moment de l'enregistrement à l'Institut de propriété industrielle. 4. Il a été condamné à une peine de prison de 2 ans dont 1 an avec sursis et à une amende de 600 euros. 5. Abuse de son droit de propriété celui qui porte préjudice à son voisin avec l'intention de lui nuire.

4 Les obligations *(p. 78 et 79)*

I. Faire le bon choix

1b ; 2a ; 3c ; 4a ; 5b ; 6c ; 7b ; 8a ; 9c ; 10b ; 11c ; 12ac ; 13a ; 14b.

II. Chasser l'intrus

1. actionnaire, bénéficiaire. **2.** prétendre, juger. **3.** poursuivre en justice, payer une amende. **4.** plaidoirie des avocats, service public. **5.** élection, démocratie.

III. Faire des phrases

A. 1. Je refuse de signer un contrat dont les conditions me paraissent tout à fait inacceptables. 2. L'acheteur a pour obligation principale de payer le prix fixé au jour de la vente. 3. La preuve du contrat d'assurance doit être faite par écrit. 4. Tout fait quelconque de l'homme qui cause un dommage oblige celui par la faute duquel il est arrivé à le réparer. 5. La déclaration du sinistre doit être établie dans les cinq jours.

B. 1. La vente conclue hier par téléphone a été confirmée aujourd'hui par lettre au vendeur. 2. Le loyer est fixé par les parties à la conclusion du contrat. 3. Le vendeur a l'obligation de livrer à l'acheteur les marchandises dans les délais convenus. 4. La responsabilité du transporteur est engagée dans le cas où le voyageur n'arrive pas à destination sain et sauf. 5. Il a été jugé responsable de l'accident et condamné à réparer le préjudice subi par la victime.

5 La vie des affaires *(p. 92 et 93)*

I. Faire le bon choix

1b ; 2b ; 3a ; 4d ; 5b ; 6d ; 7c ; 8c ; 9c ; 10b ; 11d ; 12d ; 13a ; 14b.

I. Faire le bon choix

1. Conseil de surveillance, collectivité territoriale. **2.** conseil municipal, citoyen. **3.** en contrefaçon, par actions. **4.** répartition de bénéfices, registre du commerce. **5.** prendre ses congés, tenir une comptabilité.

III. Faire des phrases

A. 1. Le président a été reconduit dans ses fonctions lors de la dernière assemblée générale. 2. Les actions sont librement négociables sur le marché boursier. 3. Tout commerçant doit respecter les règles de la concurrence sous peine de sanctions pénales. 4. Une directive européenne renforce la protection du consommateur dans les pays membres. 5. Discriminer un acheteur ou pratiquer le dumping constituent des actes de concurrence déloyale.

B. 1. Un fonctionnaire ne peut pas être commerçant. 2. Le patrimoine d'une entreprise individuelle se confond avec celui du propriétaire. 3. Les associés ne sont pas responsables des dettes de la société sur leurs biens personnels. 4. La durée d'une société ne peut pas excéder 99 ans à compter de son immatriculation au registre du commerce. 5. La société Abimax a réalisé un bénéfice exceptionnel bien que la concurrence soit très vive.

Jeu de l'oie *(p. 106 et 107)*

1. Oui. **2.** Les deux. **3.** Le parquet. **4.** Les deux. **5.** nom, prénom, date de naissance, domicile. **6.** C'est à vous de prouver. **7.** le salarié, le locataire, l'associé, le transporteur. **8.** Non (il n'y pas de dommage). **9.** Une offre d'achat. **10.** À la fois moral, matériel et corporel. **11.** TVA. **12.** Le comptable. **13.** Fabrication de matériel électrique. **14.** C'est une SA (il n'y pas de P-DG dans une SARL). **15.** Non (pas assez d'associés). **16.** Informer le vendeur qu'elle renonce à son achat (possible dans le cas d'une vente par correspondance). **17.** Non, un fonctionnaire ne peut pas être commerçant. **18.** Non, je suis salarié. **19.** nos, votre, notre. **20.** Oui. **21.** Non (les amendes seulement en droit pénal). **22.** qu'elle n'**a** pas commise. **23.** C'est une mauvaise exécution du contrat de travail. **24.** force majeure, convention collective, police judiciaire, formation collective. **25.** bilan. **26.** débiteur, demande. **27.** Non. **28.** Le gouvernement. **29.** Un conseil. **30.** La police ne peut pas vous arrêter pour n'importe quel motif. **31.** Cour d'appel, mise en demeure, pourvoir en cassation, fonds de commerce. **32.** Dans un arrêt de la cour de cassation. **33.** Avocate. **34.** Oui (Pierre, 13 ans, ne pourrait pas acheter une voiture, mais il peut valablement acheter un livre). **35.** Le jury est composé de jurés. **36.** Une décision a déjà été prise par le président. **37.** Non (on ne peut pas être obligé à travailler bénévolement). **38.** Oui (les parents pour leurs enfants, les employeurs pour leurs salariés). **39.** Non. **40.** Aucune. **41.** Un meuble est une chose qu'on peut déplacer. **42.** Oui.

Index alphabétique

Les numéros renvoient aux pages.
Les numéros en gras renvoient à la première page de la section.
Les astérisques (*) renvoient à l'activité audio.

A

B

C

D

E

F

G, H

I

R

S

T

U, V

Édition : Jean-Luc Wollensack
Coordination artistique : Catherine Tasseau
Maquette et mise en pages : CND International
Illustrations : Nicolas Spinga
Couverture : Claudine Pizon (conception graphique), Gilles Jouannet (illustration)
N° d'éditeur : 10141532 - avril 2007
Imprimé en France par Pollina s.a., n° L43270